と存じます。
本書が『ニューモラル』と同様に、読者の皆様が生きがいと喜びに満ちた人生を築いていかれるうえで、少しでもお役に立つことを願っております。

公益財団法人　モラロジー道徳教育財団

〈凡例〉

一、本書は、モラロジー道徳教育財団発行の月刊誌『ニューモラル』の内容に基づいて再編集したものです。なお、「一日一話」の形式でまとめるにあたって、語句や表現等の整理を施しました。

一、令和三年四月、法人名称の変更に伴い、本書の編集・発行所名を「モラロジー研究所」から「モラロジー道徳教育財団」に改めましたが、本文中で引用されている既刊本については旧名称のままの表記となっています。

一、各文末の（　）内の数字は、『ニューモラル』の掲載号を表します。

一、各種スピーチの話題として、または学校における「道徳の時間」の補助資料等としてご活用いただく際の便宜を考慮し、巻末に「主要語句索引」を付しました。

カバーイラストレーション・デザイン　杉田　豊
本文イラストレーション　松葉　健

1月

1日 初心忘るべからず

「初心を忘れるな」とよくいわれます。初心とは、志を立てるとき、初めて事に当たるときの純粋で真剣な気持ちのことです。室町時代に能を大成した世阿弥《ぜあみ》の『花鏡《かきょう》』には、次のようにあります。

「是非初心を忘るべからず。時々の初心を忘るべからず。老後の初心を忘るべからず」

私たちは少年時代以降、自分自身の成長に応じてその都度大小の志を立て、「初心」を持ちます。「志ある者は事ついに成る」（『後漢書《ごかんじょ》』）ともいうように、志がしっかりしていれば、どのようなことも最後には成し遂げることができるのです。

年の初めにあたり、新たに志を立て、「初心」を奮い起こし、目標に向かって努力をしていきたいものです。「千里の道も一歩から」といいます。しっかりとした指針を持って、一歩ずつ、着実に歩んでいきましょう。

（二三三号）

2日 正月は、なぜ「めでたい」？

古来、正月には「正月様」という年神《としがみ》（五穀を守る神）が来訪し、人々に年玉（年魂）を授けて生命力を新しくしてくれると考えられていました。そのことを褒《ほ》め、喜び、祝い合うのが正月でした。

正月を「めでたい」というのは、正月様が家々を訪れて〝世の中が平安で、豊作であり、人々が健やかであるように〟と、祝福を授ける時季だからです。

この「めでたい」という言葉は、「愛《め》ず・賞《め》ず」という語から出た「めでたし」で、古くは「愛したい、褒めたい、祝うべきである」という意味を持っていました。ですから、正月に「めでたい」と挨拶を交わすのは、人間同士がお互いに相手を褒めたり、祝ったりする意味ではなく、正月様の祝福に対する〝おめでたい日だ〟という気持ちを言い表したものなのです。

（三八九号）

3日 一つの思いも一つの行いも「思いやり」が基本

総合人間学モラロジー（道徳科学）を創建した法学博士・廣池千九郎《ひろいけちくろう》（一八六六〜一九三八）は、道徳実行の指針として、多くの格言を残しました。その一つに「一念一行《いちねんいっこう》仁恕《じんじょ》を本《もと》となす」（『最高道徳の格言』モラロジー研究所）があります。

「仁恕」とは、すべてのものを生かし育てようとする深い思いやりの心です。この格言は、そうした心をすべての言動の基本とすべきであるということを説いたものです。

日々接する人々に対して、どのような形で温かい心を表すことができるかを、考えてみましょう。例えば、明るく喜びに満ちた表情で接する、相手の話に心から耳を傾ける、感謝の言葉を伝える――。どれもささやかな行為ではありますが、〝相手に喜びや安心、満足を与えられるように〟と思いやる心の確かな表れであるといえるのではないでしょうか。そうした心づかいを、日々発揮していきたいものです。（五〇〇号）

4日 今日ただ今の心が「一大事」

人生は一見、単調なこととの繰り返しのようにも思えますが、その一日一日は「繰り返しのきかない繰り返し」です。私たちの日常は決して華やかな場面ばかりではなく、むしろこまごまとした雑事のほうが多いものですが、だからといって雑にしてよいということではありません。「雑用」とは、人間が雑にすることで生じるものなのです。

私たちは、まだ来ぬ明日を頼んだり、また、時には二度と帰らない過去の栄光を懐かしんだりと、ともすると「今」という時を疎《おろそ》かにしがちではないでしょうか。

江戸時代の禅僧・白隠禅師《はくいんぜんじ》の師匠であった正受老人《しょうじゅろうじん》は「一大事と申すは今日ただ今の心なり」という言葉を残しています。人生は結局、一日一日の積み重ねです。丹精込めて、一日一日を丁寧に生きるところに、「充実した人生」があるのではないでしょうか。

（二一七号）

5日 「孝」の心を育てる教育

小学校教師として長年尽力してこられた野口芳宏《のぐちよしひろ》氏（日本教育技術学会名誉会長）は、家庭における子供の教育に関して次のように述べています。

「親を大事にするということは非常に大切なことだと思います。『こういう暮らし方をすれば、きっと親は安心してくれるだろう』『こういうことをしたら親は悲しむだろう』と、いつでも親の姿が頭の中にあれば、人間はそう悪いことはしないのではないでしょうか」（『れいろう』平成十九年四月号、モラロジー研究所）。

家庭や子供をめぐる問題が跡を絶たない昨今ですが、親や祖父母を思いやる優しい心は、本来、誰もが持っている純真な真心ではないでしょうか。そうした美しい心を育み、伸ばしていく教育が、今、家庭・学校・地域社会で求められています。大人はその責任の大きさを自覚したいものです。

（平成十九年全国敬老キャンペーン特別号）

6日

周囲に向ける「心のゆとり」

慌《あわただ》しい日常生活の中では〝自分さえよければ……〟〝私が先でなければ……〟という、自分優先の気持ちになりがちです。しかし、周囲の人々と互いに心地よく暮らしていくためには、自分の欲求を「腹八分」に抑え、「二分のゆとり」を他に向ける暮らしを心がけたいものです。例えば、後から来る人のために入口のドアを開けて待っておく。これは先を急ぐ気持ちを少し抑え、そこで生まれた「時間のゆとり」を他に譲る提案です。あるいは、お財布《さいふ》のひもを少しだけ絞り、そこで生まれた「お金のゆとり」を親孝行や地域社会のために使ってみるのもよいでしょう。

目に見えなくても、私たちの何気ない日常の裏には多くの人々の支えがあるものです。〝他のおかげで生かされている〟という自覚から感謝の心が芽生えたとき、周囲に温かい思いを向ける「心のゆとり」が生まれるのではないでしょうか。

（四七六号）

7日　家族の元気は「食卓」から

家族の元気は「食卓」でつくられるといえます。

食生活の乱れは、心身の健やかさを損ないます。心身が疲れているときは食への関心も低くなり、それが病を引き寄せるという悪循環に陥っていくようです。

また、わが国の古くからの風習に「陰膳《かげぜん》」というものがあります。これは、長い旅などで家を出ている家族の無事を祈る気持ちで、留守を預かる者が準備する食膳のことです。そこには「食は共にしよう」「食を通じて語り合おう」という精神が宿っているのではないでしょうか。

食卓は家族の健康のバロメーターになるだけでなく、家族の絆《きずな》は「食」を通じて結ばれるのです。食卓を共に囲むことの意味を、あらためて見直したいものです。

（平成二十二年家族のきずなキャンペーン特別号）

8日

挨拶から始まる円満な人間関係

昔は田畑に水を引くことも、一人の力ではできませんでした。村人が協力し合ってはじめてできることだったのです。その協力の輪の人間関係を支えたものの一つが、挨拶だったといえるでしょう。下を向いて農作業をしている人の前を通るとき、畦《あぜ》を歩いていく人は必ず声をかけるという約束事が存在した地方もあったそうです。

共同作業を必要とする仕事という点では、漁業の場合も同じだったのでしょう。また、工業を仕事とする人も、原料の仕入れ先や品物を納める先との関係を抜きにして暮らしは成り立ちません。商業に至っては、品物を人から人の手に渡すことで商売が成り立つのですから、挨拶によって人間関係を良好に保つことは不可欠でした。

日常の挨拶は、集団生活を円滑に営むための必須の要因です。こうした挨拶の持つ力を、大切に考えたいものです。

（四七九号）

9日 「当たり前」の中にある「有り難さ」

寒さの厳しい季節。もし暖房の効いた部屋の中でずっと過ごしていれば、室内が暖かいことは当たり前に思えてくるかもしれません。それが長時間の外出で冷え切った体で帰宅したときは、どのように感じるでしょう……。暖房のありがたさ、部屋を暖めておいてくれる家族がいることのありがたさなど、「当たり前」以外の思いも心に浮かんでくるのではないでしょうか。

「有り難い」という言葉には、「そのように有ること自体がたいへん難しい」「めったにないことである」と感じられるからこそ、感謝せずにはいられないという気持ちが込められています。毎日の生活の中で「当たり前のこと」として受けとめている物事の中にある「有り難さ」に心を向け、これに感謝する心を育んでいくことで、私たちの日常には、さらなる潤いと温かさが生まれてくることでしょう。

（五二二号）

10日

すばらしい点を認める

私たちは、どうして人を比較してしまうのでしょうか。人間は一人ひとり、顔も性格も違い、得意なことも苦手なことも違い、好きなことも嫌いなことも違うはずです。比較するということは、そうした一人ひとりを、偏差値とか、運動能力とかという一点だけに絞り込んで上下をつける（評価する）ということでしょう。

しかし、それはほんの一側面にすぎないことを知らなければなりません。走るのが遅くてもすてきな絵を描く子、算数の成績が悪くても人を感動させる詩を書く子もいるのです。そうしたとき、「かけっこは遅かったけど、こんなにすてきな絵が描けるじゃないか」と、その子のすばらしい部分をきちんと認めることが大切でしょう。

どの子にも、必ずすばらしい点があるものです。それを認めることが、子供へのいちばんのプレゼントではないでしょうか。

（四四七号）

11日

「第三者」に心を向ける

私たちは、誰かのためを思って行動を起こすとき、〝相手は自分の行為をどう受け取るだろうか〟という点には思いをめぐらすものですが、時に、そうした「思いやり」だけでは不十分なことがあります。その行為を直接受ける相手以外の人に対して、思いがけない迷惑をかけたり、不快な思いをさせたりしている場合があるのです。

自分と相手、そして第三者にとっても望ましい結果を得るためには、まず、何をしようとするときも一呼吸置いて、「自分の行動の影響を受ける人」に心を向けてみることが大切でしょう。誰がどのような影響を受けるのか、それがどのように受けとめられるのかを想像したうえで、全体がよりうまくいくような方法を考え、行動を起こすのです。こうして「第三者」に心を向けることを習慣づければ、より多くの人々へ思いやりの気持ちを広げていくことができるのではないでしょうか。

（五一四号）

12日

「正しいこと」にご用心

「正しいこと」を言い、「正しいこと」を行おうとしているのに、いつの間にか周囲から疎《うと》まれるようになっていた、という経験はありませんか。

社会の秩序を保つためには、ルールやマナーを守るという「正しいこと」は大切です。一方、家庭や職場、地域などの身近な生活の場では、「正しいこと」を振りかざして周囲を非難ばかりしていては、決して良好な人間関係を築けないでしょう。

私たちは人の不正はよく見えても、自分の間違いにはなかなか気づきません。知らず知らずのうちに周囲に迷惑をかけていることもあるでしょう。自分がそれを指摘されたら……と考えてみることも大切です。どんなときも相手の立場や状況を思いやり、謙虚な心で行動できる人こそ、皆から親しまれ、よき人間関係を築いていけるのではないでしょうか。春風のように温かな人柄をつくっていきたいものです。

（四五五号）

13日　いのちを受け継ぎ、引き継ぐ

昔から「子は宝」といいますが、子育てには苦労だけでなく、それに勝る喜びがあったはずです。そうした中で一人ひとりが大切に育てられ、親から子へ、子から孫へと代々「いのち」が伝えられてきたからこそ、今の私たちがあるのでしょう。

また、そこでは「いのち」と共に、生きていくための知恵、言葉、生活習慣、道徳や価値観、そして家庭に伝わる料理といったものも、前の世代から次の世代へと伝えられてきました。いつの時代も、家族は「いのち」と文化を受け継ぎ、それを次の時代に伝える役割を果たしてきたのです。

私たち一人ひとりは、こうした「いのちのバトン」を受け継いできた、大切な存在です。そして、そのバトンを次の世代に引き継いでいくという重要な使命を帯びているのではないでしょうか。

（平成二十三年家族のきずなキャンペーン特別号）

14日 モノに当たっていませんか?

自分の思うようにならない状況に直面して怒りや不満を覚えた経験は、誰にでもあるでしょう。しかし、その感情をどのように処理するかは人によって違います。高ぶった感情をそのまま言葉や態度に表す人。表に出さず、自分の心の中で押し殺す人。中には、つい身近なモノに当たってしまうという人もいるのではないでしょうか。

感情を持たないモノからは、どう扱っても反論は返ってきませんが、そもそもモノ自体に罪はありません。勝手な感情をぶつけるのは筋違いというものでしょう。

車や電話、靴、食器など、日ごろ使うモノに向けて、お世話になった人にするのと同じように「ありがとう」と声をかけてみましょう。それでモノが喜んだり元気になったりするわけではありませんが、自分自身の感謝が引き出され、心が豊かになるのです。それを日々積み重ねるうちに、豊かな人間性が育まれていくでしょう。(四五八号)

15日　大切な「親との時間」

「親孝行したいときには親はなし」という古言が生まれたのは、平均寿命が今よりずっと短かったころのことです。しかし、長寿の時代を迎えた今でも、親を看取《みと》った後に〝もっとよくしてあげられたらよかった〟という思いにさいなまれる人は、少なくありません。

成人した子供が親と一緒に過ごせる時間は、意外に短いものです。例えば四十歳前後の子供が、離れた場所で独立して暮らしていたとします。その親が六十代後半であれば、現在の平均寿命から考えて、親の寿命はあと二十年というところでしょう。仮に、親子が顔を合わせて一緒に過ごす時間が一年間で十日、一日につき九時間だとすると、二十年間では千八百時間、七十五日分ということになります。この限られた時間をどのように過ごすかを、大切に考えていきませんか。

（五〇三号）

16日

自分勝手な思いやり

私たちは、それぞれ異なった立場や境遇に身を置いており、物事の見方や考え方にも大きな違いがあります。

ところが日常生活では、ややもするとその事実を忘れ、自分本位の考えで物事を判断して、自分がよいと思ったことを他の人に強く勧めてしまう場合があります。そうなると、せっかくの善意も押し付けがましく受け取られたり、かえって相手に迷惑や不快感、余計な苦痛を与えたりすることにもなりかねません。

それは「困っている人を助けたい」という思いに駆られて行動するとき、特に起きやすいことではないでしょうか。とりわけ介護や看護をはじめとするケア（お世話）を行う際や、悲しみや苦しみの中にある人と関わるときは、一度立ち止まり、相手の気持ちや状況に対して十分に思いをめぐらすことを心がけたいものです。（五〇九号）

17日

「おかげさま」の思いを生かす「恩送り」

昔から日本人は、人からお礼を言われると「お互いさまですから」と、つつましく答えていました。また、物事が無事に終わると、謙虚に「おかげさまで」と感謝したものです。人間は皆、互いに支え、支えられながら生活する存在であることを自覚していたからこその表現でしょう。

私たちが今日を迎えるまでには、どれだけ多くの人のお世話になったことでしょうか。その人たちに対する直接の「恩返し」はもちろん大切ですが、中には直接返すことのできない恩もあるでしょう。そうしたときは、自分の受けた善意を別の人に「送る」ことです。この「恩送り」ということを心に刻んで、周囲を見渡してみましょう。

お世話が必要な子供たちは「誰もが歩んできた道」、手助けを必要とするお年寄りは「誰もがこれから歩む道」。すべては「お互いさま」「おかげさま」なのです。(四六四号)

18日

敵に塩を送る

戦国時代のお話です。あるとき、武田信玄の領する甲斐《かい》の国（今の山梨県）は、敵によって塩の運搬路を絶たれてしまいました。塩は生命を維持するために欠かせないものです。このとき、信玄の宿敵といわれた越後《えちご》（今の新潟県）の上杉謙信は、甲斐の国に塩を届けさせたのです。私たちの先人は、この「敵に塩を送る」という逸話によって、敵国であっても領民まで巻き添えにして苦しめてはいけないこと、また、敵対する相手にも思いやりをかけ、正々堂々と向き合うことの大切さを伝えてきました。

古くから言い伝えられてきた逸話や教訓には、いつの時代も変わらない大切な道徳性が含まれています。子供同士の喧嘩《けんか》の際、「弱い者をいじめてはいけない」とか「大勢で一人を相手にするのは卑怯《ひきょう》である」などと教えたのも、その例といえるでしょう。こうした先人たちの教えの意義を、今、あらためて見つめてみませんか。

（四〇二号）

19日

家族の安心は「笑顔」から

人は笑顔の人に接すると、自分も笑顔になりやすくなるものです。意識的にでも笑顔をつくると、脳が刺激を受けて、幸せな気持ちになっていくといいます。とりわけ家族の笑顔は、やわらかな気持ち、幸福な気持ちのもとになるでしょう。

お父さん、お母さんをはじめ、おばあさん、おじいさんなど、家族の笑顔は子供を生き生きとさせ、家族に安心をもたらします。そして子供の笑顔もまた、家族を生き生きとさせるのです。家族が笑顔を忘れずにいる家庭は、家族の絆《きずな》が強まり、たとえ家族の誰かが心の重荷を感じているときでも、それを軽くしてくれます。

笑顔を生み出すものは、喜びやうれしさ、また、励ましや感謝などであり、これらは生きるうえでの原動力といえるでしょう。そうした力をより多く生み出せる家庭を築いていきたいものです。

（平成二十二年家族のきずなキャンペーン特別号）

20日

五十一対四十九

臨床心理学者の河合隼雄《かわいはやお》氏（一九二八〜二〇〇七）は、「心の中のことは、だいたい五十一対四十九くらいのところで勝負がついていることが多い」（『こころの処方箋』新潮文庫）と述べています。悪いことをする人でも、最初から悪い心が百で、善い心がゼロだったわけではなく、「悪い心が五十一で、善い心が四十九」というギリギリのところで迷っているのかもしれません。

「人心これ危《あや》うく、道心これ微《かす》かなり」（『尚書』）というように、人間の心とはたいへん危ういものです。誰もが生まれながらにして「良心」を持っていても、日々の生活の中で、そこに欲心などが覆いかぶさってくるのです。しかし、どんなに小さな善行でも毎日それを続けていくことで、心の隙間《すきま》に「悪い心」が入り込むのを防ぎ、もともとあった「美しい心」を引き出すことができるのではないでしょうか。　（四四三号）

21日 食べることは人間形成の基礎

現在、食をめぐって、次のような問題点が指摘されています。

①食習慣の乱れ　②栄養面での偏り　③食文化の継承の断絶　④低い食料自給率　⑤食べ物の安全性への不安　⑥食べ残しなどによる食品の廃棄

こうした危機感から平成十七年六月に制定された「食育基本法」では、食育（食に関する教育）を知育・徳育・体育の基礎として位置づけています。そこには「食べることは豊かな人間形成の基本である」との考え方があります。

特に家族と共にする食事は、家族の絆《きずな》を強めるとともに、食事のマナーや調理法、味付けなど、食に関わるさまざまな文化を伝える場でもありました。食生活の崩壊は、健康面だけでなく、私たちの生き方そのものに大きく関わる問題です。家庭、学校、そして地域の中でも、「食」のあり方を見つめ直していきたいものです。

（四五二号）

22日

相手の立場に立った交通指導

Kさん(66歳)は毎朝、地元の小中学生の通学路で交通指導をしています。通勤ラッシュで車が多くなる時間に信号のない交差点に立ち、誘導灯で華麗に車をさばいて、子供たちを安全に横断させていくのです。Kさんはこう語ります。

「交通指導を始めた当時はピーッと笛を鳴らして車を止めたんですが、今は吹かないんです。自分が笛を吹かれたらびっくりしますし、先を急いでいたらイライラするでしょう。無理に止めたらドライバーはイライラして、ほかの場所で事故を起こしてしまうかもしれません。だから、まずは車を通して、次に子供たちを渡すんです」

今ではKさんの姿を見ると自然と停車するドライバー、「待たせてすみません」と頭を下げるKさんに「お互いさまですよ」とお辞儀で返すドライバーが増えてきているそうです。思いやりの心は、周囲に温かい人間関係を生むのです。

(四五五号)

23日

人は生き方を変えることができる

百歳を越えた今もなお、活躍を続ける聖路加《せいるか》国際病院理事長の日野原重明《ひのはらしげあき》氏は、次のように述べています。

「鳥は飛び方を変えることはできないし、カンガルーは跳ね方を変えることはできません。しかし、私たち人間は、どの時期においても、変えようと思えば生き方を変えることができます」（『「生き方上手」の秘訣』モラロジー研究所）

私たちの人生は、自分ではなんでもないと思えるような日々の小さな行いと、目には見えない心づかいの積み重ねによって形づくられています。こうした「小さな行いと心づかい」を変えていくことこそが、「生き方」を変えることにつながっていくのでしょう。私たちの心は、日々プラスにもマイナスにもはたらきます。毎日の生活の中で、心の生活習慣を少しでもよりよい方向へ改善していきたいものです。（四一八号）

24日

「恩」とは何か

「恩人」「恩恵」「恩に着る」「恩を売る」「恩に掛ける」「恩を仇《あだ》で返す」「恩知らず」など、私たちの生活の中には「恩」のつく言葉がたくさんあります。

そもそも「恩」には、どのような意味があるのでしょうか。

辞書には「他の人から与えられるめぐみ。いつくしみ。また、自分のためになされたありがたい行為」(『大辞林』三省堂)とあります。また、「恩」は「因」と「心」という漢字で構成されます。因には「わけ、もと、ちなみ」の意味がありますので、それに心が加わると、「原因を心にとどめる」といった意味になるでしょう。仏教でも「恩とは、何がなされ、今日の状態の原因は何であるかを心に深く考えること」(『佛教語大辞典』東京書籍)と述べられています。つまり「恩」とは、現在起こっている出来事の原因や物の成り立ちに気づき、ありがたさを感じることといえるでしょう。(四三八号)

25日

「心」が亡くなると……

人間関係における不和や対立は、初めは些細《ささい》な出来事から生じることが多いものです。第三者から見れば些細なこと、たわいないことと思えるのですが、当人はその「些細な出来事」によって乱された自分自身の心が不和の原因をつくり出していることに、なかなか気づかないのです。

「忙しい」という字は、「心」が「亡くなる」と書きます。忙しさの中で心のゆとりが失われると、私たちはつい、周囲の人々への配慮を欠いた自己中心的な言動をとってしまいがちです。こうした「心の乱れ」が、人間関係にも波紋を広げていくのではないでしょうか。

忙しいときこそ自分の心を静かに見つめ直し、落ち着いて状況を判断し、相手のことを思いやる優しさを忘れないようにしたいものです。

（四三〇号）

26日

人を変える「言葉の力」

盤珪永琢禅師《ばんけいようたくぜんじ》（一六二二〜一六九三）が弟子たちと一緒に修行していたとき、親から勘当された悪童が寺に入ってきました。寺に来てからも、その悪行は収まりません。

弟子たちは、悪童を破門するよう師に願い出ました。しかし悪童は破門になる気配もなく、ますます悪事を働きます。やがて弟子たちは、ついに「彼を破門しないのなら、私たちが寺を出ていきます」と、師に詰め寄りました。

すると師は「そんなに言うのであれば、お前たちが寺を出て行きなさい。お前たちは寺を出ても立派にやっていけるが、彼は破門されたらもう行くところがない」と。

弟子たちは盤珪禅師の深い思いやりに気づき、感激に震えました。この様子を陰から見ていた悪童は、その後、人が変わったように修行に励んだということです。

言葉に込められた深い思いには、人の心をも変える力があるのです。

（三〇六号）

27日

信用される日本人

以前、アメリカとメキシコへ観光旅行に出かけた田中さん夫妻の体験です。

メキシコでの観光を終えてアメリカへ入国しようとしたとき、入国審査を待つ人々で長蛇の列ができていました。前方を見ると、入国する人は係官からあれこれと質問を受けているようです。片言の英語しか話せない田中さんは不安になってきました。

田中さん夫妻の番になりました。不安な気持ちのままパスポートを差し出すと、係官は「ジャパニーズ？」と言ったきり、それ以上何も質問をせず、簡単な荷物検査だけで通してくれました。「イエス」と言っただけの田中さんは拍子抜けしましたが、このとき、自分たちが日本人として国際的に信用されていることを感じたのです。

ふだんの生活の中では、自分が国の保護下にあることをあまり意識することはありませんが、時にはこうした恩恵に、思いを馳《は》せてみませんか。

（四二五号）

28日

相手と関わるためには

特に子供が思春期を迎えたときなどに、〝わが子はこうでなければならない〟という親としての思いから、つい「それではだめだ」「ああしなさい」「こうしなさい」という言葉が多くなってしまう――そんな経験はないでしょうか。

自分の考えが正しいと思い込み、そのことを相手に無理に押しつけようとする態度では、相手はそれを心の中で拒否してしまうでしょう。相手と関わるためには、まず自分自身が素直になり、相手の言葉に耳を傾け、相手に共感していくことが求められるようです。

親子関係の場合、子供が〝親は自分の気持ちを理解してくれた〟と気づいたとき、親子の心は通い合い、信頼関係が深まっていくといえるでしょう。そして、このことはすべての人間関係に当てはまるのではないでしょうか。

（三七六号）

29日

一隅を照らす生き方

東洋思想の研究と後進の育成に努めた安岡正篤《やすおかまさひろ》氏（一八九八〜一九八三）は、「暗黒を嘆くより、一つの灯火を掲げて一燈《いっとう》を付けましょう。我々はまず我々の周囲の暗を照らす一燈になりましょう。手のとどく限り、至る所に燈明《とうみょう》を供えましょう。一人一燈なれば、萬人萬燈です。日本はたちまち明るくなりましょう」（『安岡正篤一日一言』致知出版社）という言葉を残しています。

社会の現状を嘆くのではなく、自分自身が温かい心づかいを発揮して、自分の身近な「一隅《いちぐう》」を照らす存在になること。これを一人ひとり、より多くの人々が実践すれば、無数の小さな光は、世の中を明るく照らす大きな力となります。さらには、そうした一人の真摯《しんし》な取り組みが周囲の人々の心を動かして、同じ思いで実践を始めようとする仲間や協力者・支援者が現れてくることもあるでしょう。

（四九九号）

30日

心の持ち方一つで

会社員のKさん（28歳）は高校三年生のころ、大学入試の直前に事故に遭《あ》い、入院したため、その年の受験はできませんでした。しかし〝この経験をばねにして伸び上がろう〟と心機一転、努力の末に、翌年には志望校に入学。大学卒業の際の就職活動にも、〝同級生より遅れて社会に出るのだから〟という思いで一生懸命に取り組んだといいます。そして今、晴れて結婚式を迎えたKさんは、「事故がなければ今の会社に就職したかどうかも分からないし、妻との出会いもなかったかもしれない。けがをしたからこそ今の自分がある」と振り返ります。

長い人生、時には予期せぬ困難に直面するものです。ひとたび生じてしまった事態は元に戻せませんが、自分自身の心の持ち方一つで、その経験も「人生の土台」という、意義あるものに変えることができるのではないでしょうか。

（五一七号）

31日 老いと生きがい

長寿社会を迎えた日本。これはたいへん喜ばしいことですが、老いてからの人生が長くなると、老後の生き方が問われるようになります。

定年後も長く続いていく人生をいつまでも生き生きと過ごす秘訣《ひけつ》として、社会教育家の田中真澄《たなかますみ》氏は「老後も自分の好きな仕事に従事すること」を提案しています（参考＝『田中真澄のいきいき人生戦略』モラロジー研究所）。

みずからの人生の目標や生きがいとなり得る「仕事」の存在は、私たちの毎日に張りと潤いを与えてくれます。しかし、仕事とは必ずしも「報酬を得るための職業」に限らないでしょう。私たちは、家庭内での役割やボランティア活動を含めて、なんらかの「仕事」に前向きに取り組むことで、自分自身も喜びを得ながら、持てる力を周囲の人々のために役立てていくことができるのです。

（四九三号）

2月

1日

「よい行い」と「よい心づかい」

毎日、何か一つでも「よいこと」をして、それをノートに記録するという宿題を出された中学一年生の秀一君。最初は張り切って家の手伝いをたくさんしたのですが、今では玄関の掃除と夕食の後片付けだけ。毎日同じことを書くので、正直、つまらない……と思っているようです。周りの友だちも「わざわざ新しいことを探すのは面倒で……」「初めは手伝いをするとお母さんが褒《ほ》めてくれたけど、今は『手伝いなさい。ノートに書くんでしょう』と言われて、仕方なく……」と言います。

せっかくの「よいこと」も、〝やらなければならない〟という気持ちで行うのでは、やっている自分自身が楽しくないことはもちろん、された相手もうれしく感じないかもしれません。形のうえではよい行いをしていても、そのときの自分の心はどうだったか――日々、自分自身の心を見つめていきたいものです。

（三九二号）

2日 夫婦は人間生活の要

夫婦というものは、それぞれの親と血のつながった「タテの関係」を持つ男女が、結婚によって夫婦という「ヨコの関係」をつくるわけですから、タテとヨコの交わる点に存在するといえます。そして、自分たちの子供へといのちを継承し、新たな「タテの関係」を育んでいくのですから、夫婦は人間生活の中の要《かなめ》といえるでしょう。

夫婦とは、もともと他人だった男女が、お互いに相手を選んで一緒に暮らしていくのです。近すぎて見えなくなるものもあり、反対に、言わなくても通じ合えるようになることもあるでしょう。しかし「一心同体」でない夫婦だからこそ、補い合い、思いやって相手を理解するように努め、心を合わせて「夫婦の絆《きずな》」を深めていくことが大切です。その「夫婦の絆」が「家族の絆」を育み、心豊かな社会生活の元となるのです。

（三九七号）

3日　ところ変われば、見方も変わる

「転石苔《こけ》を生ぜず」という諺《ことわざ》があります。これはもともと、英国で「職を転々としている人は、地位も財産も成すことができない」という意味で使われていました。長い時間を経《へ》たからこそついた苔を、「よきもの」として解釈した諺です。

ところが米国では「常に活発に転がっていくものは、時代に取り残されることはない」という、まったく別な解釈がされています。ここでは苔を「取り去るべき古くさいもの」という、マイナスイメージでとらえているのです。

これは「苔」に対するとらえ方の違いから、一つの諺が正反対の意味を持った例です。同様に、私たちの周囲で起こる出来事には、それ自体には善悪がなくても、受けとめる私たちの心が善《よ》し悪《あ》しを決めていることもあるのではないでしょうか。自分の悩みも違う角度から眺めると、別のとらえ方ができるかもしれません。

（五〇五号）

4日

「数え年」に込められた意味

年齢の数え方には、よく用いられる「満年齢」に対して、「数え年」というものもあります。「数え年」では、生まれたときを一歳と数え、その後は正月を迎えるたびに一つ年を加えていきます。これは「いのち」が母親の胎内に宿った時点を起点とし、胎内で過ごすとされる「十月十日《とつきとおか》」も含めて年齢を数えたものです。亡くなった人の年を表す「享年」とは「天から享《う》けた年」の意味ですが、この場合も数え年を当てます。

また、日本では古来、正月に年神様《としがみさま》をお迎えしてその御霊《みたま》をいただくことにより、一つ年を取るという考え方をしてきました。神様から「いのち」をいただいて、感謝して一年を送るという生き方をしてきたのです。

今日では、「数え年」は神事や仏事などでしか使いませんが、「いのち」をどのように考えるかという点で、その意味をあらためて見直してみたいものです。（四〇四号）

5日 老年期に花開く「人間力」

人は老いていくと、記憶力などの衰えていく部分もあるでしょう。しかし、年を重ねてきたからこそ培《つちか》われた「本質を見抜き、全体をとらえる力」は、すばらしい人間力といえるのではないでしょうか。

この力は、それまでの蓄積をもとにして、老年期に入って花開くものです。多くの芸術家や学者、技術者、職人が高齢になっても立派に仕事を成し遂げるのを見れば、よく理解できます。江戸時代に五十歳を過ぎて日本全土を測量した伊能忠敬《いのうただたか》や、七十歳を過ぎて大作を残した葛飾北斎《かつしかほくさい》、また、私たちが住む地域社会の中にも、仕事やライフワークで実力を発揮する高齢者は数多く見られるのではないでしょうか。

世の中のことを熟知した高齢者がみずからの人生の目標をつかみ、前向きに力を発揮できる社会を築いていきたいものです。

（平成二十一年全国敬老キャンペーン特別号）

6日 想像力、判断力、行動力

私たちは、さまざまな人間模様が入り混じった世界に生きています。

一人ひとりで立場や境遇も異なれば、物の見方や考え方にも大きな隔たりがあります。また、その時々で気持ちも状況も変化するものです。ここで円満な人間関係を築いていくためには、思いやりの心に基づく想像力と柔軟な判断力、そして「よい行い」を実践に移す行動力が大切です。

そうした努力は、家庭の中でも忘れないようにしたいものです。むしろ、夫婦や親子などの親しい間柄であればあるほど、相手のことを「分かったつもり」になって、かえって実践が難しくなるのかもしれません。だからこそ、ますます想像力を発揮して、相手のことを深く思いやり、許し合い、いたわり合っていく必要があるのではないでしょうか。

（五一二号）

7日 喜びも悲しみも、自分がつくるもの

現在の生活に不満があるとき――例えば会社勤めをつまらないものと感じるときなどに、〝あの上司やあの同僚がいるからだ〟といった考えを持ってしまうことはないでしょうか。

そうしたときの心を見つめてみると、自分以外の周囲の人々の考え方や態度が変わることを期待しているようです。自分の人生に起こる「悪いこと」は他人のせいにして、「よいこと」も他から与えられるのを待っている、ともいうことができます。

こうした考えを改めて、「喜びも悲しみも、多くは自分がその原因をつくっている」と考えてみると、どうでしょう。よくも悪くも、私たち一人ひとりの考え方と行動が「現在の自分」をつくっていると思えば、自分から積極的に「喜び」をつくっていこうという気持ちが湧《わ》き起こってくるのではないでしょうか。

（二七九号）

8日 物の「いのち」を生かしきる

「もったいない（勿体無い）」という言葉は、『広辞苑』（岩波書店）では「物の本体を失する意」とされ、その物の持ち味や存在の意義を十分に生かすことができなくて申し訳ないという意味だと考えられます。まだ使えるのに捨てられてしまうことを残念に思う気持ち、物の「いのち」を全うさせられないことを悔やむ気持ちです。

日本人は、物も「いのち」を持った存在として見てきました。針供養や筆供養のように、役目を果たした道具を供養するという習慣も残っています。使われなくなった物をただ捨てるのではなく、感謝の気持ちで供養することを通じて、物を大切にする心が受け継がれてきたのです。

物の「いのち」に感謝し、物本来の持ち味を最後まで十分に生かしきるように努める「もったいない」の心を、今、あらためて見直してみませんか。

（四〇八号）

9日　心は使えば使うほど豊かになる

小さな道徳実行の機会は、私たちの周りにはたくさんあります。例えば、バスや電車の中で高齢者に積極的に席を譲る、駅前や道路のゴミを拾う、また、自宅に帰ったときに自分の靴をそろえるついでに家族の分もそろえる等々です。

ふだんやっていなかったことは、初めは意識的に行わないと難しいようです。しかし、ほんの少しの勇気を出してそれを実行に移し、そのまま何度も続けていけば、抵抗感も少なくなってくるでしょう。

心は使えば使うほど豊かになり、勇気も奮い起こせば奮い起こすほど強く大きくなっていきます。〝自分がやらなくても、誰かがやってくれるだろう〟などと考えることなく、一人ひとりが道徳実行の勇気を育んでいきましょう。一人ひとりの小さな勇気が、社会をよりよい方向へと動かしていくのです。

（五〇一号）

10日 喜びと働きがいの循環

「働く」ということについて、明治大学の齋藤孝《さいとうたかし》教授は次のように述べています。

「人は誰かから期待されているときにこそ、エネルギーが湧《わ》いてくる。尊敬する人のため、あるいは世のため人のためになすことのほうが力が出る。自分の経済力のため、自分が幸せになるためだけに何かをする人は、エネルギーがどんどん枯渇していってしまう」（『働く気持ちに火をつける』文藝春秋）

まずは〝期待され、信頼されているから仕事を頼まれたのだ〟と考えて、与えられた仕事に対して地道に取り組んでみましょう。その結果として相手に喜ばれると、自分もうれしくなり、〝次も頑張ろう〟というエネルギーが湧いてきます。そのエネルギーでよい仕事をすれば、もっと喜んでもらえる。そんな〝喜び〟と〝働きがい〟の循環ができてくると、やる気もいっそう湧き上がるのではないでしょうか。（四九四号）

11日

国に心を向ける

国旗が国家のシンボル（象徴）であると、多くの日本人は知っていますが、それを常に尊重しなければならないという意識は弱いようです。

世界各国の国旗のデザインや色彩は、その国の特性を示します。国旗や国歌を尊重することは、その国の文化や歴史に敬意を表すことにつながります。また、これをないがしろにすることは、その国の人々や歴史、伝統、文化を軽《かろ》んじるのと同じです。

国はそれぞれに歴史や文化を持っており、日本もまた、長い歴史と独自の文化を持っています。その歴史の中で、数えきれない多くの先人先輩が、よりよい国づくりのために力を尽くし、犠牲を払ってきました。その大いなる努力によって、現在の日本の繁栄と平和が築かれているのです。

日本の歴史や文化を正しく学び、日本という国に心を向けてみませんか。（四二五号）

12日

心の中の「我」を浄化する

自分こそが正しいという「我《が》」は、知らず知らずのうちに私たちの心の中に忍び込んできます。物事が思うように運ばなかったり、思わぬ障害に出会ったりしたときこそ、その原因は自分の心の中にひそむ「我」にあるのではないかと、反省してみることが大切です。そして、穏やかに相手の立場に立った思いやりの心をはたらかせていけば、自分中心の「我」の心が少しずつ浄化され、弱まっていきます。

それはちょうど、濁った水が入ったコップにきれいな水を少しずつ注ぐようなものです。コップの中の水は、すぐにきれいにはなりませんが、長く続けていくと、必ず澄んだきれいな水になります。心もこれと同じです。

心の通い合う豊かな社会を築くために、一人ひとりが自分の心にひそむ「我」に気づき、それを少しずつ穏やかで温かい心に変えていきたいものです。

（四七〇号）

13日 過去と未来をつなぐ私たち

人は、自分一人の力で人生を全うすることはできません。

私たちのいのちは、はるかな昔から、多くの先祖たちによって親から子へ、子から孫へと受け継がれてきたものです。また、周囲に目を向ければ、家族以外にも学校や職場、地域社会でふれあう人など、さまざまな人とのつながりの中で支え合って生きていることに気づきます。そうしたことを自覚すれば、「自分の人生なのだから、どのように生きても自分の自由だ」と言いきることはできないでしょう。

草木は大地にしっかりと根を下ろしてこそ、強く大きく育っていけるものです。私たちの人生も、親祖先はもちろん、そのほかにも自分が受けてきた数々の恩に感謝して、その恩に報いる心を持ったとき、途中にはどのような困難があったとしても、ついには未来が開かれていくのではないでしょうか。

（五〇二号）

14日

美しい言葉を使っていますか？

家庭の中で、日ごろ親は子供に対して何を語り、どのような態度で接し、どのような後ろ姿を見せているでしょうか。

「ありがとう」「大好き」「うれしい」「きれいね」「ごめんなさい」……こうした言葉を聞くと、心にふわっとした温かなぬくもりを感じます。言葉は、私たちの心を映し出す鏡です。美しい心からは、美しい言葉が生まれます。同時に「美しい言葉が美しい心を育てていく」とも言えないでしょうか。自分自身の心を育てるためにも、美しい言葉を積極的に使っていきたいものです。

家庭内でこうした言葉がいつも飛び交うようになれば、どんなにすばらしいことでしょうか。子供の美しい言葉、思いやりの心を引き出すのは、親自身の美しい言葉であり、温かな思いやりの心なのです。

（平成十九年春のニューモラルキャンペーン特別号）

15日 小さな親切、小さな善行を広げていく

永平寺の開祖・道元禅師《どうげんぜんじ》（一二〇〇～一二五三）は「自分が幸せになりたいと思うなら、他人を幸せにすることである」と説き、そのために四つの方法を示しています。

一つ目は「布施《ふせ》」。相手を喜ばせるため、自分の持つ物や知識を提供することです。

二つ目は「愛語《あいご》」。相手に温かく優しい言葉をかけることです。

三つ目は「利行《りぎょう》」。多くの人の利益となるような行為をし、喜んでもらうことです。

四つ目は「同事《どうじ》」。これは相手と協同で作業することです（『正法眼蔵』四摂法）。

これらは何も難しいことでなく、電車の中でお年寄りに席を譲る、道を尋ねられたら親切に答える、周りの人々に明るい挨拶をするなど、社会で暮らすにあたっての基本的なモラルとして実現していけることではないでしょうか。一人ひとりの小さな親切や善行が広がっていけば、温かく住みやすい社会が実現するはずです。

（四四九号）

16日

愛は愛を引き出す

愛のある言動に触れて人々が感動するのは、人々の心の中にある愛の心が揺り動かされ、引き出されるからでしょう。そのとき、自分はもちろん、周囲の人々までも優しい気持ちになります。また、その場の雰囲気も温かくなっていきます。

私たちは、誰もが愛の心を持っています。それは「育てる心のはたらき」です。特に家庭においては、人間はもちろん、あらゆるものを育て、生かしていこうとする心のはたらきを、家族一人ひとりが十分に発揮できるよう、親子や夫婦の関わり方、家族や近所の人たちとの関わり方を工夫していきたいものです。

愛の心がたくさん引き出された人とは「しっかりと愛された人」といえるでしょう。愛された分だけ、その人の言動はさらに多くの人の愛の心を引き出すことができます。愛は愛の心を引き出すのです。

（三七五号）

17日 心の絆を深める「ハレの日」

日本の伝統的な生活の中には、「ハレ」（晴れ）と「ケ」（褻）という概念があります。「ケ」とは「日常」を意味するものです。これに対して「ハレ」は、特別な儀礼・祭礼・年中行事をはじめとする改まった状況、いわば「非日常」を意味します。

農耕民族である日本人は、黙々と労働にいそしんで生活の糧《かて》を得る中にも、お正月・節分・ひな祭り・端午の節句・お盆・お彼岸・大晦日《おおみそか》など、四季折々の年中行事を「ハレの日」として祝ってきました。また、人が誕生してから亡くなるまでの間には、お宮参り・七五三・元服（成人）・結婚・還暦・その他の年祝いなど、数々の節目を迎えます。それらは単調になりがちな日常生活の「けじめ」になるだけでなく、家庭や地域社会などの集団において、心の絆《きずな》を深める機会となっていたのではないでしょうか。

そうした「節目」の意味を、あらためて見つめ直したいものです。

（五一九号）

18日

あなたは大切な存在

人間は皆、大人も子供も〝自分を認めてほしい〟という欲求を持っており、〝自分が誰かや何かの役に立っている〟という充実感・満足感を得たいと願っています。自分の存在を認めてくれる人が一人でもいれば、人間は生きていけるのです。

子供にとっては、自分の存在の源は親です。ですから、親が温かい、笑顔のある家庭を築き、子供の人格を認める言葉を投げかけていくことによって、子供は〝自分はこの世に生まれてきてよかったんだ〟と感じることができます。こうして心が安らぎ、愛されている実感を味わうことができたとき、困難や失敗にも決してくじけずに前向きに歩んでいく力や、みずからの目標や夢に向かって努力する力が育まれていくに違いありません。

今こそ子供に思いきり伝えてください。「あなたは大切な存在なのだ」と。（三五九号）

19日 恩恵に気づく喜び

先を急いでいるとき、エレベーターにかかった「定期点検中」の札を見ると〝まったく、こんなときに〟という思いが湧《わ》き起こってくるかもしれません。それでもふだんエレベーターを安全に使えるのは、整備をしてくれる人がいればこそなのです。

私たちには、ふだん見ているものの中にも「見えていないこと」があります。

ふだんの生活が「当たり前」に送れるものと思っていたり、自分は人よりも一生懸命に仕事をしていると思っていたりすると、身近な相手や周りの一人ひとりが持つ大切な役割や尊い努力などが見えにくくなるものです。

私たちが社会生活を送るうえでは、意識していなくても、なんらかの形で必ず他の人々から支えられています。そうした社会の恩恵に思いを向けることが、感謝と喜びのある生活を築いていく第一歩といえるのではないでしょうか。

（三九三号）

20日 お坊さんの反省

あるお坊さんのお話です。修学旅行で寺を訪れた中学生に法話を行った後、お坊さんがあたりの片付けをしていると、一人の男子生徒が五円玉をこちらに向けて投げつけ、笑いながら合掌しました。〝なんて失礼な子だ〟と思ったお坊さんは「せっかくだけど、このお金はお賽銭箱《さいせんばこ》に納めてください」と伝え、五円玉を拾って渡しました。

その夜、風呂の中で昼間の出来事を振り返ったお坊さんの胸に、ある思いが浮かんできました。〝あの子は、仏との「ご縁」に感謝して「五円」を投げたのではないか。感謝の気持ちを表す方法が分からず、突飛な行動になったのではないか。私にそのことがすぐ理解できていれば「ありがとう。私からご本尊にお供えしておきます」と言えたのではないか。不快感を覚えた自分の心は、なんと固く狭い心だろうか……〟と。

お坊さんは受けとめ方一つで、この体験を、心を省みる機会にしたのです。(四三〇号)

21日　コミュニケーションのすすめ

若い世代がお年寄りと接するとき、心がけたい三つのポイントを挙げてみます。

第一は、気長に、落ち着いて交流を図ること。人間は年齢と共に視力や聴力、体力などが衰えてくるものですから、落ち着いた心と態度で、気長に接したいものです。

第二は、心から語りかけること。「おはようございます」という挨拶一つにも心を込めて、明るく声をかけましょう。挨拶は、良好な人間関係を築く第一歩です。身近に出会う相手に心を込めて挨拶し、ひと声かけると、心のつながりが生まれてきます。

第三は、相手の立場に立って考えること。どうしたら相手が喜ぶかを考えるのです。

一方、お年寄りの側も、若い世代の意見を受け入れる広い心を持ち、感謝の心を忘れず、老いてもなお成長し続ける若々しい心で生きることが大切ではないでしょうか。こうした姿が若い世代の手本となるのです。

（平成二十年全国敬老キャンペーン特別号）

22日

揉んで味出せ、干し大根

「揉《も》んで味出せ、干し大根」という言葉があります。

干し大根は、揉めば揉むほど大根の繊維がやわらかくなって、おいしくなるといいます。人間も同じように、多くの人の間で揉まれることによって、人柄がやわらかくなっていくという意味です。人間関係に悩んだときは、相手を恨んだり憎んだりするよりも、自分自身がよりよく変わっていくことを考えたいものです。

今、思い返してみましょう。自分一人の価値観にとらわれすぎてはいないか。相手の気持ちを心から思いやることができているかどうか。その相手に助けられたことはなかったか。相手に学ぶべき点はないのか……。また、こうして悩んだ体験があることで、人の心の痛みも分かるようになっていくのではないでしょうか。

困難に直面したときこそ、自分自身が大きく成長するチャンスです。

（三四五号）

23日

「思いやりの心」は「思いやりの心」を引き出す

私たちの心は実に正直です。相手に対する思いが、その表情、言葉、態度、行動などの形になって表れます。相手への優しさや思いやりの心が大きくなれば、それは必ず私たちの言動となって表れてきます。心には、私たちの人生を豊かにする無限の力がひそんでいます。

私たちは、自分にとっていちばん身近な家族に対して、日々、どのような心で接しているでしょうか——。「愛は愛を生み、憎しみは憎しみを生む」といわれます。まず自分が思いやりの心を発揮することで、家族の優しさが引き出されてくるのです。そのことを家族一人ひとりが意識して、少しだけ想像力をはたらかせ、相手の立場や状況に心を向けてみましょう。そうして自分にできるところから「思いやり」を実行に移していくことが、家庭が円満になる秘訣《ひけつ》ではないでしょうか。

（四六一号）

24日 父母の年は知らざるべからざるなり

『論語』(里仁篇)には、「子曰《しいわ》く、父母の年は知らざるべからざるなり。一はすなわち以《もっ》て喜び、一はすなわち以て懼《おそ》ると」とあります。

子として、父母の年齢は知っていなければならない。それは〝この年になってもまだ達者でいらっしゃるのか〟と、その長寿を喜ぶためであり、もう一方ではこの先の心配をするためだ――そこには、若くして親を失った孔子の「君たちは父母が生きているというだけで、たいそう幸せなのだ」という思いも表れているように思えます。

私たちにとって、親とは非常に大きな存在です。自分にいのちを与え、養い育ててくれた親からは、自分自身が成長し、自立してからも、人生を歩むうえで大きな影響を受けることでしょう。その親が年老いていくときにこそ、これまで見てきた親の後ろ姿や、注いでもらった愛情の深さを思い起こしたいものです。

(五〇三号)

25日

心の輝きを取り戻す

中高年の心は、思いのほかもろいところがあります。思春期の子供を抱える悩み、職場の人事異動や配置転換などが原因で、それまでの充実感や生きがいがぐらついてしまうのです。まったく自信をなくし、悲観的になってしまうこともあるようです。また〝元の自分に戻りたい〟と思うあまり、余計に苦しむという悪循環に陥ってしまうこともあります。そうしたときは、どちらかというと自分のことばかりに関心が向いているのではないでしょうか。

視点を変え、自分のことを少し離れて先輩や後輩のこと、また、周囲の人々のことに目を向けてみてはいかがでしょうか。自分が今日を迎えるまでにお世話になってきた人たちの恩に思いを致し、自分の心の中にある「人を育てる心」を発揮していくことで、自分自身の輝きを取り戻すきっかけがつかめることでしょう。

（三九六号）

26日

幸せの単位は家族である

私たちの日常に当たり前のように存在する家族に対して、心から感謝するということは、そう簡単にできることではありません。困難に直面したとき、はじめてそのありがたさを痛感したという経験を持つ人も、少なくないでしょう。

倒産した経営者の社会復帰を助けてきた「八起会《やおきかい》」会長の野口誠一《のぐちせいいち》氏は、『家族の力――「自殺防止の会」が体験した家族愛の三十年』（祥伝社）の中で「（経営破綻《はたん》した）彼らをどん底から救ったのは他でもない、『家族』である」と述べています。そして、「人間の単位は個人かもしれないが、幸せの単位は家族である」とも。

家族の絆《きずな》を強めてこそ、どんな困難も乗り越えていく力が育まれます。そして問題を乗り越えると、家族の絆はさらに強まり、それが幸せをつくり出す原動力になるのではないでしょうか。

（平成二十一年家族のきずなキャンペーン特別号）

27日

「道徳の実行」とは

道徳とは、いったいなんでしょうか。

人は皆、「道徳とは何かよいことをすることである」という点は理解しています。そして、具体的に何をすることかと尋ねられれば、誰でもいくつか示すことができるでしょう。例えば、マナーを守ること、親切にすること、困っている人がいれば助けること、他人の迷惑になるようなことはしないこと、嘘《うそ》をつかないこと、約束は守ること、思いやりの心を持つことなど、たくさんのことが挙げられます。

一般に私たちは、「道徳の実行」とは、行為や言葉によって具体的に形に表して行うことと考えています。確かに、具体的に形に表して実行することも大切ですが、それ以上に大切なことは「どのような心づかいでそれを行うか」ではないでしょうか。日々、自分自身の心づかいを見つめていきたいものです。

（三六五号）

28日

支えられて生きる

私たちの人生は、常に、どこかで誰かに支えられています。

この人生を喜びの多いものにしていくためには、そうした人たちとの絆《きずな》を深め、みずから進んで思いやりの心をはたらかせていくこと――「相手の人格を尊重し、受け入れていく心」や、「相手の喜びや悲しみに共感する心」が欠かせません。自分自身の心を開き、相手の心に寄り添い、これを無条件に受け入れてこそ、相手の言葉の裏にある「本当の思い」に触れることができるのではないでしょうか。

苦難に直面し、気持ちが落ち込んだときは、「多くの人から支えられている」という事実にあらためて思いを致してみましょう。その人たちへの感謝の思いから、〝皆に恩返しをしたい〟〝自分も誰かを支えることができるようになりたい〟という気持ちが生まれたなら、きっと前向きな心を取り戻すことができるでしょう。

（五一八号）

29日

「来た道」と「行く道」

私たちはこの世に生を享《う》け、成長し、年齢を重ね、それぞれの人生を生きています。この人生は、一回限りです。

身近にいる子供たちの姿には、自分自身の幼かったころの姿を重ねることができます。それは、自分が歩んできた道です。そして、お年寄りの姿の中には、これから歩んでいこうとする将来の自分の姿を見いだすことができます。お互いに支え、支えられて生きている人生だからこそ、人を思いやる優しい心が大切なのです。

敬老の心を深めることは、私たちが道徳心を育み、人間として成長していくことでもあります。まずは自分の親や祖父母、また、身近な人生の先輩に、心のこもった「感謝の気持ち」を表してみてはいかがでしょうか。きっと世代を超えて、温かな心の懸け橋がかかることでしょう。

（平成二十年全国敬老キャンペーン特別号）

3月

1日

「ありがとう」は元気の源

つらい仕事の最中にかけられた「ご苦労さま」や「ありがとう」のひと言で、疲れが吹き飛び、元気が湧《わ》いてきた――そんな経験はないでしょうか。

「ありがとう」という言葉は、元気の源といえそうです。逆に元気を失わせる言葉とは、どんなものでしょうか。「忙しい」「疲れた」――どちらもつい使ってしまう言葉ですが、それを言う自分の心の中には〝周りの誰よりも仕事をしている〟という高慢な心、〝どうして自分だけが大変な思いをしなければならないのか〟という自己《じこ》憐憫《れんびん》の心、〝他人によく思われたい〟という虚栄心などが隠れているのかもしれません。

何気なく使った言葉でも、自分はもとより周囲にも大きな影響を与えます。日々積極的に肯定的な言葉を使い、否定的な言葉や不愉快な言葉はなるべく使わないだけでも、家庭や学校、そして職場の雰囲気は、どんなに明るくなるでしょうか。（三七四号）

2日

時間のプレゼント

狭い道路や出入口などで、皆が「われ先に」と争って進もうとすれば、どうなるでしょうか。きっと、自分も相手も周囲の人たちも、皆が不利益をこうむる結果となるでしょう。反対に「お先にどうぞ」と譲り合えば、人も車もスムーズに流れていくのです。世の中の人が皆、こうしたことを少しでも心がければ、渋滞などの現象の多くは解消され、より暮らしやすい社会が実現するのではないでしょうか。

「お先にどうぞ」と譲ることは、自分の時間をほんの少しだけ犠牲にして、相手にプレゼントすることです。どんなに小さなことであっても、そうした実践を続けていけば、知らず知らずの間に、自分自身の周りに笑顔が増えていくでしょう。

その笑顔を目にしたとき、きっと、自分自身がいちばん大きな「報酬」をもらっていることに気づくはずです。

（四五六号）

3月

3日 根っこにつながって生きる

私たちは、親や祖先から単に生命だけを受け継いできたのではありません。私たちも、私たちの両親も、そのまた両親も、皆それぞれの親から〝幸せな人生を送ってほしい〟と祈られてきたのです。

樹木は根がなければ育ちません。根が太ければ、幹も太くたくましく育ちます。そうなれば、枝葉が広がり、美しい花が咲き、将来への希望となる実をつけるでしょう。この自然の摂理は、私たち人間にもいえることです。

親祖先は私たちの「根っこ」であり、私たちをしっかりと支えてくれる存在です。その親祖先にしっかりとつながり、「いのち」の大切さに気づき、親孝行の心を育てることで、私たちの生きる力はいっそう引き出されてくるのではないでしょうか。

（平成十九年全国敬老キャンペーン特別号）

4日

人に忠告をするとき

人をたしなめようとするとき、気をつけなければならないのはどんな点でしょうか。〝自分は正しいことを言っている〟〝自分は悪くない〟——そうした思いが強いときほど、自分の思いにとらわれ、相手の気持ちや周囲の状況が見えにくくなります。しかし、相手の言動などの表面的な部分だけを見て責め立てるのでは、それがどれほど正しい忠告であっても、相手は「非難された」ということ自体に抵抗を感じるでしょう。誰でも自分のことを否定されれば、悲しく嫌な気持ちになるものです。そうして「心の扉」が閉ざされると、お互いを理解し合うことは難しくなります。

「心の扉」は〝自分を理解してもらえた〟と実感したときに開かれ、そのとき相手への親しみや信頼が増していきます。自分の思いを一方的に通そうとするのではなく、まず自分から、相手の心や状況に思いを馳《は》せることを心がけたいものです。（四九六号）

3月

5日 親は子供の最初の教師

スイスの教育家ペスタロッチ（一七四六〜一八二七）は、「親は子供の最初の教師である」という言葉を残しました。私たちは結婚して子供が生まれると、自然と親になります。しかし、その中で「親になるための勉強」を、意識して行っているでしょうか。

「親になるための勉強」というと、育児書や両親学級で学ぶ育児の技術、つまりお風呂の入れ方やミルクのつくり方などのように考える人も多いのではないでしょうか。核家族化が進む中、身近な場で子育てに触れてこなかった世代には、こうした勉強も必要ですが、親が親らしくなるためには、何より「なんのために子供を育てるのか」「どんな大人になってほしいのか」を考えなければなりません。子供は親の後ろ姿から、自分に対する親の願いを感じとっていきます。それは、親自身が自分の人生をどう生きるかを真摯《しんし》に考えることが求められているともいえるでしょう。

（四〇六号）

6日 「江戸しぐさ」に学ぶ思いやり

江戸時代、最盛期には人口百万人を超えた江戸の町で、人間関係を円滑に、暮らしを心地よいものにするために生み出された「江戸しぐさ」というものがあります。

雨の日にすれ違う際、しずくが相手にかからないようにする「傘かしげ」、後から乗ってきた舟客のため、腰を浮かせて空席をつくる「こぶし腰浮かせ」など……。江戸しぐさの伝承に取り組む越川禮子《こしかわれいこ》さんは「その根底には『人はみな仏や先祖に見守られて生きている。だから、お互いに教え合い、助け合い、いたわり合うのが当然』という考えがあった。この〝他を思いやる心〟が現代に足らないのではないか」(参考=『れいろう』平成十九年九月号、モラロジー研究所)と語っています。

今、慌《あわただ》しい日々の中で、周囲に思いをめぐらす「心のゆとり」が失われていくのは寂しいことです。先人の「ほんの少しの心配り」に学んでみませんか。

(四七六号)

7日

「いざというとき」に物を言うのは

近年、東京のベッドタウン化が進み、新興住宅地と昔ながらの町が併存するようになったK市。ここで消防団活動に参加しているIさんには、気になっていることがありました。それは火災発生時の住民の対応が、地域によって大きく異なることです。

鎮火後、近所の人たちがおにぎりや飲み物などを出し合って、火災に遭った家族に差し入れをしたり、お互いに協力しながら一緒に後片付けをしたりする地域がありま す。ところが住民同士のつながりが薄い地域では、特に目立った動きをしない場合も多々見受けられるのです。このような地域では、火災が起こっても住民の安否を確認するのに手間取る場合があるということです。

いざというときに私たちを支えてくれる、人と人との「つながり」。それは日常的なふれあいによって築かれ、培《つちか》われていくものなのです。

（四二八号）

8日 人生を輝いて生きる

多少の病気や障害があっても消極的にならず、自分の可能性に目を向けて、さわやかに生きることが「健康」です。同様に、高齢になっても自分の可能性に目を向けて、他者の喜びのために自分の能力を生かしていきたいものです。そうした生き方の中に「老いてこそ輝いて生きる人生」のすばらしさがあるのではないでしょうか。

年を取るのはすばらしい――そう感じられる「生き方のモデル」を若い世代にしっかり示し、伝えていくことも高齢者の大切な役割の一つであるといえます。

家庭や地域社会の中で、高齢者と若い世代が互いに尊敬し合い、いたわり合い、育て合う「思いやりの心」を育んでいくことが、豊かでイキイキとした高齢社会を築く第一歩となります。高齢者も若い世代も共々に、他者の喜びのために「輝いて」生きていきたいものです。

（四三三号）

9日 意なく、必なく、固なく、我なし

『論語』の中に、「意《い》なく、必《ひつ》なく、固《こ》なく、我《が》なし」という言葉があります。

「意」とは、自分の主観だけで判断すること。「必」とは、自分の考えを無理に押し通すこと。「固」とは、一つの判断に固執すること。そして「我」とは、自分の立場や都合だけを考えることです。

この言葉は、孔子の人格を端的に述べたもので、孔子には自分勝手な考え、無理押し、頑固さや、自分本位の意見や主義がなかったといいます。言い換えれば、広い視野に立って客観的に物事を判断し、他人の意見に十分に耳を傾け、すべてのことに広い心で柔軟に対応し、相手の立場を思いやって行動できる人間だったということです。

人は皆、それぞれの考え方を持っています。そうした「自分らしさ」を持ちつつも、この言葉を「他を顧《かえり》みない自分本位の心づかい」の戒めとしたいものです。(四三六号)

10日 マイナス体験は成長のチャンス

子供は成長していく中で、さまざまな課題にぶつかります。友だちとの人間関係、部活での試練、受験での失敗等々……。そしてその都度、自分自身の心に問いながら、みずからの方向を見いだしていくものです。このとき、親がどのような思いでどのように子供に接するかは、課題の解決のための重要な鍵《かぎ》になるようです。

親にできることは、子供の置かれた状況をしっかりつかみ、粘り強く見守り続けていくことではないでしょうか。悲しむ子供をかわいそうに思うあまり、むやみに周囲を責めることは、決してよい結果を生みません。親にも耐える力が必要といえます。

誰にもつらく苦しいことはあります。しかし、そのことから逃げずに真正面から受けとめ、誠実に対処することが、本人の成長へとつながっていくのではないでしょうか。マイナス体験は、成長のチャンスでもあるのです。

（三七二号）

11日 おふくろの味の隠し味

子供のころ、家庭の食卓にはどんな料理が並んでいたでしょうか。料理をつくった人や一緒に食卓を囲んだ人は誰で、そこはどんな雰囲気だったでしょうか——。多くの人の胸には「おふくろの味」と、家族の談笑の光景が刻まれていることでしょう。

「おふくろの味」を成り立たせる要素は、調理技術だけではありません。そこには必ず「家族を思うつくり手」と「食卓を囲む家族」が存在します。つくり手の原動力は家族への愛情。また、愛情を込めた手料理を食べる家族の笑顔を見たとき、そして「おいしかったよ」というひと言が返されたとき、つくり手はいっそう力を得ることでしょう。こうして通い合う温かな思いは、「おふくろの味の隠し味」といえます。

食生活は、時代と共に移り変わっていく部分もあるでしょう。しかし家庭の食卓を支える「心」は、確実に次代へと受け継いでいきたいものです。

（四六六号）

12日

不祥事が起こらない職場づくりのために

自分の職場で不祥事が起こった場合、多くは〝たまたま悪い人間がいただけだ〟とか、〝上司の管理が不十分だからだ〟と考え、なかなか自分自身の問題として受けとめることができないのではないでしょうか。

しかし、不祥事が起こる背景には、必ず「不祥事を起こしやすい職場の風土」があります。その職場風土は構成員一人ひとりがつくっているのですから、結局、自分自身の日々の言動が、不祥事の発生と大きく関わっていることになるのです。

不祥事が起こりにくい風土をつくるには、トップの役割が大きいことは言うまでもありませんが、〝職場の風土を変えなければ〟ということに気づいた人、一人ひとりが、目の前の小さなことを疎《おろそ》かにせず、善行を地道に継続していくことです。やがて周囲の人をも動かし、明るく規律ある職場に変わっていくことでしょう。

（四四三号）

13日 聴き役に徹する

人は時として、思いがけない事故や病気、大切な人との別れなど、受け入れがたい大きな悲しみや苦しみに直面することがあります。

身近な人がその渦中にあるとき、〝なんとか慰め、励ましたい〟と思ったとしても、相手の気持ちや状況に対して十分な配慮をせずに性急な言葉をかけたり、自分の考えを押し付けたりしては、相手の心の傷をさらに深くすることにもなりかねません。

上智大学名誉教授のアルフォンス・デーケン氏は、こうしたときに肝心なことは「相手が心を開いて自由に話せるように、聴き役に徹すること」であると述べています（『心を癒す言葉の花束』集英社新書）。

相手に寄り添い、その思いを受けとめて尊重し、共感しようとする心の姿勢があってこそ、相手の悲しみや苦しみをやわらげることができるのでしょう。

（五一八号）

14日

「短所」が「長所」に見えてくる

玄関に飾られた花を見るときの心は、人によって異なります。出入りするのに邪魔だと思う人、ただそこに花があるだけだと考える人、美しいと感じる人、ありがたいものとして見る人、花を飾った人の優しい心を感じる人など……。中には、花があることにすら気づかない人もいることでしょう。花は、あるがままに咲いています。それに対して人がさまざまな見方をし、花の価値を決めているのです。

人が他人を見るときにも、同じことがいえます。見方や考え方を変えてみると、「しつこい人」は「とても熱心」、「頑固な人」は「意志の強い人」、「おせっかい」は「親切な人」というように、短所だと思われることも長所に見えてくるのではないでしょうか。日々、出会う人や物事に対しても、努めてそのよい面を見ることを習慣づけ、感謝しつつ、心穏やかに毎日を過ごしたいものです。

（三〇三号）

15日

「宇宙の中の自分」を感じる

私たちは「自然の中で生かされている」ということを意識すると、謙虚になることができます。反対に「自分の力で生きている」という思いがあまりにも強くなりすぎると傲慢《ごうまん》になり、みずからを反省することがなくなるでしょう。

宇宙の広がりやその歴史と比べれば、私たち一人ひとりの存在は本当に小さく、その人生も短いものです。宇宙や自然について考えると、自分が小さく弱い存在であることに気づきます。自分のいのちは自分のものですが、同時に「与えられたもの」です。その事実に感謝し、謙虚な気持ちを持つことが、知らず知らずのうちに傲慢になってしまうことへの歯止めとなるのです。

夜空を見上げて遠い宇宙に思いを馳《は》せる。道端の小さな花に目を向ける。日々、ちょっとしたことから自然とのつながりに意識を向けてみませんか。

(四六七号)

16日 人生の「労」をいたわろう

お年寄りは、長い間、苦労をしながら努力を続け、今日の私たちの暮らしの礎《いしずえ》を築いてくれた恩人です。そうした長年の「労」を敬い、お年寄りに親しみを持つことの大切さは、言うまでもありません。この「労」という漢字は、「苦労」「勤労」などの熟語に使いますが、「いたわる」とも読みます。

今、毎日の暮らしの中で、お年寄りはどのような心配や不安を持っているのでしょうか。そうした外からは見えない、人の心の中にある「労」に思いを馳《は》せて、心配を少しでも軽くするために何ができるかを考えることも大切でしょう。

年を重ねたお年寄りにとって、周囲の人々と心の絆《きずな》を強く結び、いたわりに満ちた温かな人間関係を築くことで得られる「安心の多い日常」は、何よりのプレゼントになるのではないでしょうか。

(平成二十三年全国敬老キャンペーン特別号)

17日

受け取りやすいボールを投げる

コミュニケーションは、よく「キャッチボール」にたとえられます。お互いが相手の状況を見ながら、受け取りやすいボールを投げることが基本です。

ところがメールや手紙、電話などは、相手の姿が直接に見えません。そうした相手と上手にキャッチボールをするためには、相手の状況を察する温かな心配りが必要です。そこから安心感や信頼感が生まれ、よりよいコミュニケーションが広がります。

例えば、メールの場合は自筆の手紙に比べて素っ気なく感じられるものですから、文章の調子を和らげる。手紙の場合は美しい文字で丁寧に書こうと心がけたり、センスのある用箋《ようせん》や封筒を選んだりする。電話では、相手の都合を確かめてから用件を伝え、受話器を置くときは静かに——こうした一つ一つの心配りが「受け取りやすいボール」であり、相手に対する思いやりや愛情の表れといえるでしょう。

（四六九号）

3月

18日

「縦の関係」を見つめ直す

江戸時代に清貧の中で求道生活を続け、近江聖人《おうみせいじん》と称された中江藤樹《なかえとうじゅ》（一六〇八〜一六四八）は、「孝は私をやぶりすつる主人公なり」（『翁問答』岩波文庫）と述べています。

人が「私（利己的な欲求）」に流されそうになるとき、それを打ち破る「孝」の精神。それは、親祖先から子孫へとつながっていく「縦の関係」の中で自分自身を見つめ直すことによって、はじめてみずからを律していけるということでしょう。人は「縦の関係」を意識したときに、肉体的な面でも精神的な面でも、すべて「祖先から受け継いだものを将来の子孫に受け渡す」という使命を帯びていることに気づくのです。

好ましくないことと分かってはいても、なかなか抑えられないのが自分中心の心です。これを律する鍵《かぎ》は、同じ時代を生きる人や社会との絆《きずな》だけではなく、こうした「縦の関係」の中での心の絆にあるといえるのではないでしょうか。

（四八四号）

19日 支え合う喜び

発達心理学で有名なアメリカのE・H・エリクソンは、「親だけが子供を育てているのではなく、子供も親を育てている」と言っています。

私たちは子供との関わりを考えるとき、親が子供に何かを与える、あるいは教えるといったことを考えがちです。しかし、実は子供との関わりを通して、親自身が子供から学んでいくことも数多くあります。親は子供を育てるとともに、「自分自身も子供によって支えられており、その存在に感謝しながら一緒に育っていく」という視点に、あらためて気づくことが大切でしょう。

日々の生活の中で、親と子が支え合いながら生きている喜びを、できるだけたくさん味わっていきたいものです。また、そうした機会を見いだせるような「心のはたらかせ方」を大切にしていく必要があるのではないでしょうか。

（三七七号）

20日 「プラスの心」の生活習慣

「生活習慣病」とは、ある日突然やって来るものではなく、若いころからの生活習慣によって病気の根が徐々に広がっていき、ある年齢に達したときに症状が出るのだといいます。同様に、私たちの日々の小さな心づかいも、積み重ねると、人生を大きく変えていくのではないでしょうか。

私たちの心は、プラスにもマイナスにもはたらきます。だからこそ、毎日の小さな行いを通して、「プラスの心」の生活習慣を持つように心がけたいものです。例えば、明るい挨拶をする、温かい言葉をかける、気持ちよく掃除をする、喜んで履物《はきもの》をそろえる、優しい気持ちで人に接する、等々……。

今すぐにできることを通して「プラスの心」を生活習慣にしていけば、自分の心に喜びが生まれ、周囲に幸福感を与えることができるようになるでしょう。

（四一八号）

3月

21日

亡き父との対話

亡き父が創業した会社を引き継いだAさんは、経営者としてさまざまな決断をしなければならない場面に立たされたとき、苦悩の中で、知らず知らずのうちに生前の父の姿を思い起こすようになりました。そして〝こんなとき、父ならどう判断しただろうか〟〝こうしたら父は安心してくれるだろうか、それとも心配するだろうか〟と考えてみると、不思議とよい考えが浮かんでくるのだといいます。

特に重要な決断をする際は、仏壇の前に長い時間座って「このようにしたいと思いますが、よろしいでしょうか」と語りかけます。返事は返ってこなくても、そうした時間を持つことで謙虚な気持ちになり、物事を冷静に判断できるのだそうです。

私たちは、すでに亡くなった親祖先とも心のつながりを保ち続けることができます。そして、そこから大きな力を得ることもあるのではないでしょうか。

（五〇六号）

22日

自分が「誰か」になる

家庭内では、掃除も炊飯も、必ず誰かがやらなければならないものです。たとえ夫婦がそれぞれに仕事や子育てで忙しかったとしても、その家事をお互いに押し付け合うようなことがあれば、家の中が落ち着かなくなってしまいます。

「率先垂範《そっせんすいはん》（人に先んじて行い、模範を示すこと）」という言葉があります。誰かがやらなければならないのなら、自分がその「誰か」になろう――そのように考え方を変えることで、心が前向きになり、率先して実行する意欲を持てるのではないでしょうか。

「自分が誰かになる」という思いは、家庭内だけでなく、社会の中でも大切です。一人ひとりの思いは小さなものかもしれませんが、この思いが「親切」や「助け合い」として行動に現れれば、私たちの社会は大きく変わっていくことでしょう。そのためにも他人任せではなく、まず自分がその「誰か」になる勇気が必要です。　（四七一号）

3月

23日 日々の小さな心づかいから「カイゼン」を

絶えずはたらき続ける私たちの心は、簡単にいうと「自分のことを考えている」「人のことを考えている」「何も考えていない」という、三つの状態に分けられます。

自分自身の心づかいを省みると、夫婦や親子などの身近な人間関係の中でも真っ先に自分の都合を考え、自分の思いを優先させてしまっていることはないでしょうか。

もし、そうした心の傾向に気づいたなら、「相手に合わせる」「相手を受け入れる」といったことを心がけていきましょう。人の幸せを願える心になったとき、「自分」にとらわれることで心に生まれた悩みや苦しみはいつしか薄れ、晴れやかな気持ちになっていきます。

日々の小さな心づかいから「カイゼン」を始めて、人生をよりよいものにしていきましょう。

（二一九四号）

24日

皆がやっていることだから

「皆がやっていることだから」

私たちがこの言葉を口にするとき、どこかに自分のやっていることに対する後ろめたさがあるようです。「悪いのは自分一人ではなく、周りも同じなのだ」ということを、自分への言い訳にしてしまっているのではないでしょうか。心のどこかでは〝ちょっとおかしいのでは〟と思っていても、「皆がやっていることだから」とか「今までやってきたことだから」と言われてしまうと、なんとなくそれに従ってしまうのです。

少しは良心の痛みを感じているはずなのに、自分でもいけないことだと分かっているはずなのに、周りに引きずられてしまうという弱さを、私たちは持っています。環境に左右されず、どのような場合でも自分が正しいと思う道を選ぶことのできる芯《しん》の強さを培《つちか》っていきたいものです。

（四〇二号）

3月

25日

温かい社会をつくる原動力

私たちは社会の中で生きていく限り、周りの人々の世話や助けを受けるものです。例えば道路・電気・ガス・水道をはじめ、教育・福祉などの公共のサービスの恩恵を受けない人はいないでしょう。私たちは持ちつ持たれつ、助け助けられる社会に暮らしています。言い換えれば、迷惑をかけたり、かけられたりする関係にあるのです。時には、自分では気づかないうちに他人に迷惑をかけていることもあるでしょう。

大切なのは、そうした関係の中に自分自身があることを自覚することでしょう。そのとき、多くの恩恵に対する感謝の心と共に、自分も身近なところから人々に働きかけ、できることで社会に貢献したいという心が生まれてくるのではないでしょうか。

そうした一人ひとりの積極的な働きかけが、明るく温かい社会をつくる原動力となり、めぐりめぐってみずからの幸せにつながっていくのです。

（四四九号）

26日

心で数える一、二、三……

熟慮という言葉の「慮」の字は「おもんぱかる」と読み、「よくよく考える、思いめぐらす」という意味です。字源から見ると「心で考えて数える」（『字源辞典』角川書店）となります。私たちは何か問題に直面したとき、「熟慮」できているでしょうか。高ぶった感情を、そのまま他人にぶつけてしまっていることはないでしょうか。

アメリカの情操教育では、「シックスセカンズ・ポーズ」という方法が用いられます（参考＝『ＥＱこころの鍛え方』東洋経済新報社）。冷静さを失いそうになったら「一、二、三、四、五、六」と、心の中で数を数えてみるというものです。この六秒が自分と冷静に向き合う時間になり、高ぶった感情が少し落ち着いてくるのです。

責める心を他人に向ける前に、ひと呼吸置いて慮ってみる。そして、自分を振り返る。そうした心がけが、日々の人間関係を円滑なものにしていくのでしょう。（四七〇号）

27日

お年寄りを支える地域の力

社会の「無縁化」にまつわるニュースを耳にしたとき、私たちは何を思うでしょうか――。ただ眉をひそめたり、悲観したりするだけでは、何も変わらないでしょう。

Hさん夫妻は、手づくりのお弁当を地域のお年寄りに実費で配達するボランティアグループを主宰。年々利用者は増え、活動に共感して参画する仲間の輪も広がっています。「一人、二人の生活では品数を多くつくれないし、出来合いのものを買うと味が濃くて……」という高齢者世帯が心待ちにする家庭の味。栄養のバランスのほか、盛り付けや季節感にも配慮します。また、利用者にお弁当を手渡して様子を確かめるのも大切な役目です。訪問を重ねていくと、生活上の相談を受けることもあるそうです。

みずから進んで一歩を踏み出し、周囲の人々と心の絆《きずな》を結んでいくことによって変わってくる「何か」もあるのではないでしょうか。

（四九九号）

28日

「とらわれの心」に気づく

二宮金次郎《にのみやきんじろう》（尊徳、一七八七～一八五六）が桜町（現在の栃木県二宮町）の復興に当たったときのお話です。復興事業は土地の人々の反発を受けて頓挫《とんざ》。思い悩んだ金次郎は、成田山新勝寺に籠《こも》って二十一日間の断食《だんじき》修行を行います。その中で「自分は事業を妨害する者を悪人と思って疑わなかったが、反対者には反対の理由があり、反対者が出る原因は、自分のほうにもあるのだ」と気づいた金次郎は、こんな歌を詠《よ》んでいます。

打つこころ　あれば打たるる　世の中よ　打たぬこころの　打たるるは無し

こうして何事も受け入れる肚《はら》ができ、どのようなことがあっても復興事業を成し遂げようとする信念を固めたのです（参考＝三戸岡道夫著『二宮金次郎の一生』栄光出版社）。

よいことをしているはずなのに周囲とうまくいかない――そんなときは「よいことをしている」という「とらわれの心」を、謙虚に見つめ直したいものです。（四一〇号）

29日

子供の心を認め、受容する

人は皆、それぞれ独自の個性や持ち味を持っています。それにもかかわらず、人の一側面だけを取り上げて他の人と比較しようとすれば、別の側面を見落として、差別を招くことにもなりかねません。

家庭内でも、子供をつい他のきょうだいと比べて叱《しか》ったり、小言を言ったりしてしまうことはないでしょうか。しかし、親のうかつなひと言が子供の自己評価を下げたり、心に深い傷を与えたりする場合があります。親はそうした言動に気をつけて、常に子供の持ち味を認め、その能力や適性が十分生かされるように心を配りたいものです。一人ひとりの子供の豊かな可能性を認め、受容していくためには、親自身が温かな「思いやりの心」を育んでいく必要があります。こうした大人の支えがあってこそ、子供は力を伸ばし、将来に向けて力強く羽ばたいていけるのです。

（四四七号）

30日

啐啄

「啐啄《そったく》」という言葉があります。卵の中で、今まさに生まれ出ようとするヒナは、内側から殻《から》をつつきます。そのヒナの動きを感じた親鳥が、外からも殻をついて、これを助けようとします。その内と外からつつくタイミングがうまく一致すると、殻が割れてヒナが無事に誕生するのです。それは、まさに「逃したらまたと得がたい絶好の機会」といえます。

私たちは毎日のようにさまざまな出会いを経験するものですが、人と人との出会いもまた、ただ相手と向かい合ったというだけでは「出会い」とはいえないのではないでしょうか。こちら側の心に「相手を受け入れる準備」が整っているだけでなく、それが相手側のタイミングともうまく合致したときにこそ、人生を変えるほどの出会いも生まれるのでしょう。

（三七一号）

3月

31日
「おかげ」の背後にあるもの

私たちは、時に〝なんでも自分の力でやっている〟と思うことがあります。しかし本当は違っていて、気がつかない「何か」に後押しされているのかもしれません。

私たちが本を読むことができ、字が書けるのは、なぜでしょう。もちろん「自分で勉強したから」ともいえますが、勉強できたのは、先人たちが築き上げた学校教育というもののおかげであり、教師に教えられたおかげではないでしょうか。何より今日、私たちがこの世に生きているのは、私たちを愛し、守り、育ててくれた親のおかげでしょう。親は子供の前を歩いているようですが、その心は子供の後ろにあって、必要なときはいつでも子供を支え、後押ししようとしているのではないでしょうか。

私たちは、もっともっとたくさんの「おかげ」に気づき、その背後にあるものに感謝の気持ちをささげていきたいものです。


（三八一号）

4月

1日 自分の「心のノート」をつくろう

今日から一冊のノートをつくってみましょう。表紙には「心のノート」と書きます。

このノートには、自分がその日に行った「よい行い」を、毎日記録していきます。一日に一つだけでも構いませんし、たくさん書いても構いません。「玄関の靴をそろえた」「倒れていた自転車を直した」「バスを降りるとき、運転手さんにお礼を言った」など、小さなことでも記録してみるのです。困っている人を見かけたら、ためらわずに手を差し伸べましょう。「よい行い」をするには勇気が必要ですが、勇気を出して積み重ねていけば、一人ひとりの人生はすばらしいものになります。そして一人ひとりの「よい行い」が、世の中をよりよくしていく力になるのです。

「心のノート」を書き続けていくことによって、きっと「新しい自分」を発見できることでしょう。

（三九二号）

2日　「米一粒」でも積み重ねると

儒学者・新井白石《あらいはくせき》（一六五七～一七二五）が少年のころのお話です。白石のお父さんは米櫃《こめびつ》の中の米を一粒取ると、白石に「どこが減ったか、よく見るように」と言いました。しかし、減ったことさえ分かりません。そして、また一粒取ります。取っても取っても、米は減らないようです。そのとき、お父さんは言いました。「それでもこれを一年ぐらい続けると、やはり米は減ったと分かるだろう。勉強も一日ぐらいさぼってもどうなるものでもないが、ずっと続けていると、ある日ふと、何か自分がだめになったな、と気づくものだ」と（参考＝大村はま著『心のパン屋さん』筑摩書房）。

新年度を迎え、何か新しいことにチャレンジしたいと考える人も多いでしょう。一つのことをやり遂げるには、何事も毎日少しずつ、努力を積み重ねていくことが大切です。それぞれの目標に向かって、第一歩を踏み出してみませんか。

（四七七号）

3日　「違い」を受け入れる

進学・就職・結婚・引っ越しなどで環境が変われば、さまざまな出会いがあります。これまでの自分の価値観とは、かけ離れた考え方や生活習慣を持つ人と、日常を共にすることもあるでしょう。

こうした考え方や習慣の「違い」を乗り越えるためには、まず思いきって、相手と自分との「違い」を「違い」としてそのまま受け入れ、これを相手の個性として認めることです。それができたときにはじめて、相手を本当に理解することができ、さらには相手を尊重し、相手から何かを学び取ろうとする気持ちも生まれてくるのではないでしょうか。

日々の暮らしの中で新しく出会う人々と、お互いに敬愛し合い、学び合えるような、すばらしい人間関係を築いていきましょう。

（五一三号）

4日　未来の子供たちへ

Yさん（72歳）は、少年時代におじいさんに連れられて山へ植林に出かけたときの思い出を、こう振り返ります――祖父は決まって言った。「今、植えている木は誰のために植えているのか分かるか？　俺のためではない。父さんのためでもない。みんなお前のためなんだ。三十年経《た》って、お前が大きくなったら、切って売れば良い。切ったらその後に、必ずまた植えておくことだ。そうすれば、またお前の孫の時代には役立ってくれる。家を守っていくとはな、そういうことなんだ」――。きっとおじいさん自身も、両親や祖父母からそのように教えられてきたのではないでしょうか。

先人たちは皆、自分だけが無事に過ごせればよいというのではなく、遠い未来の子孫たちの幸せを見つめて自分の仕事や生き方を考えてきたのでしょう。そうした思いのつながりを、大切に受け継ぎたいものです。

（平成十四年全国敬老キャンペーン特別号）

5日 仕事と主体的に向き合う

中国の禅僧・臨済《りんざい》は「随処《ずいしょ》に主《しゅ》となれば立処《りっしょ》みな真《しん》なり」という言葉を残しています。どのようなところでもやる気になって主体的に取り組めば、自分自身の立っているところに真理が微笑《ほほえ》むという教えです。

私たちが仕事と向き合うとき、自分自身が「随処に主」とならなければ、「生きがい」や「やりがい」が生まれることはないでしょう。雑用と思って仕事をすれば、その仕事は雑用になります。心を込めて取り組めば、それは雑用ではなくなります。

誰もが「夢に描いたとおりの仕事」に就けるわけではないかもしれません。また、時には気の進まない仕事を与えられることもあるでしょう。それでも、自分自身の仕事との向き合い方を考え直すと、必ずそこに「他人や社会のために役立つ」という道が見いだせるのではないでしょうか。

（四五〇号）

6日　孝は百行の本

昔から「孝は百行《ひゃっこう》の本《もと》」といわれるように、親に対する感謝の心や、自分が受けてきた恩に報いようとする心を育むことは、よりよい人間関係を築いていくための基礎になります。

親孝行を志して、その心に思いを馳《は》せること。それは夫婦やきょうだいをはじめとする親以外の家族、または友人・知人、さらには職場の人たちやお客様、お得意様など、自分の周囲のさまざまな人たちの立場になって考えることのできる「思いやりの心」を育てることにもつながります。

「思いやりの心」とは、どのような人間関係においても、それを円滑にするために大切なことでしょう。その意味で、親孝行は、まさに「道徳実行の出発点」といえるのです。

（四一六号）

7日　「おはよう」を言っていますか？

「おはよう」という朝の挨拶。家の外で会う人にだけでなく、いちばん身近な家族に対しても、毎朝きちんと言うことができているでしょうか。

「おはよう」という挨拶は、自分の心を開いて相手に向き合うためのひと言です。まず自分から心を開くとなれば、勇気も必要になるでしょう。また、挨拶をする相手に対しては、次の三つの意味が込められた言葉だといえます。

一、相手の存在を認める（あなたは私にとって、大切な人）
二、相手の幸せを祈る（今日も一日、どうかご無事で）
三、相手との良好な関係を願う（今日も一日、よろしく）

もし朝の挨拶をする習慣のなかった人が、少しの勇気を出してこれを習慣にしていけば、それはプラスの心づかいを生活習慣にすることにもつながるのです。（四一八号）

8日

人を支える「笑顔」の力

苦しみや悲しみに出会ったとき、親や親代わりになってくれた人たちの温かい笑顔に勇気づけられて、それを乗り越えることができた、という経験はないでしょうか。また、自分自身が親になれば、子供の笑顔に励まされて、日々をよりよく生きようと努力するものでしょう。

ともすると忘れがちになる「笑顔」や「喜ぶ姿」は、人間が生きていくうえでの原動力になるだけでなく、親と子のつながりを深めるうえでも大切なものではないでしょうか。

まぶたを閉じて、思い浮かべてみてください。皆さんにとってかけがえのない父親、母親、子供たちの笑顔を……。きっと心の中に、生きるエネルギーが満ちてくることでしょう。

（三八〇号）

4月

9日 人生の「主役」と「脇役」

自分の人生の「主役」である私たちは、自分を中心にして物事を考えます。ですから、人との関わり合いでは、いろいろな衝突が起こります。

例えば親子関係において、親の立場で子供を見ていると、親の思うようにならなければ腹が立つでしょう。職場でも、自分に間違いはないと考えている上司は、異論を唱えた部下に対して、指示に従わないやつだという思いが湧《わ》いてくるでしょう。しかし、子供は自分の持ち味を発揮して、精いっぱい生きようとしているのであり、部下も上司とは違った角度から、よりよい仕事のあり方を考えているのかもしれません。

人は誰もが自分の人生を輝かせたいと願っています。自分を取り巻く人々も皆そう思っていることを認め、自分が「よき脇役」の役割を果たすことも大切です。私たちは自分の人生の「主役」であり、他人の人生の「脇役」でもあるのです。（四〇五号）

10日

「価値づけ」しない愛

心と心がふれあう人間関係が構築されるとき、そこには必ず共通する要素があるようです。臨床心理学者の杉田峰康《すぎたみねやす》氏は、次のように述べています。

「相手が『かわいいから』とか、『言うことを聞くから』『よい成績をとるから』『経済的に豊かだから』、だから大事にする、というような自分にとって都合のよい条件づけ、価値づけをした愛情ではなく、〝あなたが存在していることが大事〟という気持ちで人と接すること、つまり条件のつかない大きな愛が本当の愛なのです」(要旨／参考＝『人を育てる「愛のストローク」』モラロジー研究所)

私たちは人と関わるとき、自分の期待に応えてくれる相手を大事にしようという気持ちがはたらきやすいのではないでしょうか。自分にとって損か得かではなく、まず相手のことを認め、相手の幸せを祈ることだけに集中したいものです。(三九五号)

4月

11日

「内なるモラル」を発揮する

今、あらためて、自分自身の心に問いかけてみましょう。

嘘《うそ》をついたときのこと。自分の失敗を人のせいにしてしまったときのこと。ルールや約束を破って、人に迷惑をかけたときのこと。自分のわがままから、家族の心を傷つけたときのこと。損得勘定や自分の都合から、仕事の手を抜いたときのこと――。

そんなとき、気がとがめるような、悲しく寂しい気持ちになったのなら、すでに心の中に道徳心が根づいているといってよいでしょう。

モラルの実行とは、本来、他から強要されて行うのではなく、自分の心に根づいている道徳心に基づいて、勇気を持って行動することをいいます。一人ひとりの力は小さいかもしれませんが、自分の「内なるモラル」を家庭や職場、社会の中で発揮し続けていくことが、よりよい社会を築くために非常に大切なことなのです。


（四一七号）

12日

聞き上手なお父さん・お母さん

幼稚園でヒヨコが生まれた日、その感動を伝えたくて、お母さんのいる居間へ飛び込んだ雄太君。ところが、忙しかったお母さんは「後で聞いてあげるからね」と……。結局、お母さんの用事が終わるころには雄太君の感動は薄れてしまっていたのでした。

親は家事や仕事に追われていると、幼い子供の話しかけを「フン、フン」と生返事で聞き過ごしたり、「忙しいから後でね」と後回しにしたりしてしまいがちです。

しかし子供は、その内容（事柄）よりも感情（気持ち）を伝えたくて、話しかけていることが多いのです。話をしたいと思って勢い込んでいるときに聞いてもらえないと、もう後で話す気持ちにはなりません。忙しくても少しの間、手を休め、子供の言葉の奥にある心の声に耳を傾けたいものです。聞き上手なお父さん・お母さんになることで、親子の温かい心の交流が広がっていくことでしょう。

（四二九号）

13日

食事を共にするときの「思いやり」

Yさん（48歳）が三十数年前、高校入学を機に寮生活を始めたころのお話です。その寮では四人部屋で、一年生から三年生までが一緒に寝起きし、食堂へ行くときも部屋単位で行動します。ある日の食事時、一人だけ早々に食べ終わったYさんは、皆が食べ終わるのをじっと待っていました。一方、隣に座っていた二年生のT先輩は、楽しく会話をしながらも、どうやら三年生のペースに合わせて食事をしているようです。不思議に思ったYさんが後でT先輩に尋ねると、こんな言葉が返ってきました。

「自分が相手のペースに合わせれば、相手はゆっくり食べられる。そのほうが、お互いに楽しく食事ができるじゃないか。僕も先輩からそう教えてもらったんだよ」と。

人と食事を共にする際、〝待たせては悪い。早く食べなければ〟と思ったことはありませんか。相手にそんな気兼ねをさせないことも「思いやり」なのです。（四六一号）

14日

「生きる力」が湧いてくる

疾風《しっぷう》に勁草《けいそう》を知る（『後漢書』）――これは中国古典の言葉で「激しい風が吹いてはじめて強い草を見分けることができる」という意味です。つまり、人間も苦難や困難にぶつかったときこそ、その人の「芯《しん》」の強さが分かるということでしょう。

私たちは、時に自分の生き方に自信が持てなくなり、仕事や家庭生活への気力をなくしたり、目の前の課題から逃げようとしたりすることがあります。

そんなときこそ「親祖先から尊いいのちを受け継いで、今、自分はここにいる」ということを思い起こしてみましょう。また、私たちはいのちだけでなく、「子孫がよりよく生きていけるように」という親祖先の願いも受け継いでいる存在です。そうした「つながり」を自覚したとき、自分を大切にし、よりよく生きていこうとする力が心に満ちてくるのではないでしょうか。

（三九四号）

4月

15日　心の中の「労」を思う

「老」という漢字は、腰が曲がり、杖をつく老人の姿をかたどったものです。同じ部首「おいかんむり」を持つ漢字には、子供が年老いた親を背負っている姿を表す「孝」の字や、考慮・考察などの熟語に使う「考」の字があります。

人は年を重ねるごとに人生経験や知識が増えて、若いときより物事を多角的に考えられるようになるものです。その反面、思慮深くなればこその心配事もあることでしょう。また、若いときほど身体の自由が利かなくなることで生じる不安もあります。

そうしたさまざまな心配や不安を癒《いや》し、お年寄りの心を満たすことができるのは、家族をはじめとして、周りの人々が寄せる優しさではないでしょうか。人が抱えている心配事や心の中にある苦労は、外からは見えづらいものですが、そうしたことにも思いを馳《は》せていきたいものです。

（平成二十三年全国敬老キャンペーン特別号）

16日 分かち合う喜び

〝子供たちがいつでも気持ちよく、安心して利用できるように〟との思いから、一人で公園のトイレ清掃を始めた百合子さん（32歳）。ご近所で親しくしている人たちにも声をかけてみようと思うのですが……。

自分が楽しいと思ったこと、心からの喜びと感じたことを皆と分かち合いたいと思うのは、自然な心の表れでしょう。それでももちろん、他の人に勧める際は、慎重に行わなければなりません。時には第三者に意見を聞いてみることも大切でしょう。

他の人と一緒に喜びや苦労を分かち合うことによって、より大きな喜びが生まれます。それは、人と人とのつながりが深まり、家庭や職場、学校、地域が明るくなる一助となるでしょう。人と人とのつながりが薄れているといわれる昨今、「分かち合う」ということの大切さについて、今一度考えてみませんか。

（三八六号）

4月

17日 なせばなる

「勇なるかな勇なるかな、勇にあらずして何をもって行わんや」

これは、江戸時代の儒学者・細井平洲《ほそいへいしゅう》が、財政破綻《はたん》寸前の米沢藩の藩主に就任する直前の上杉鷹山《うえすぎようざん》へ贈った言葉です。

鷹山はその教えを胸に、藩の財政改革に取り組みます。江戸での生活費を千五百両から二百両まで減額するなどの倹約を行い、城内につくった畑をみずから耕すなどして民を励ましました。古参の家老との対立もありましたが、鷹山は改革を推し進め、財政再建の基礎を築きました。そして、次の藩主に家督を譲る際には「なせばなる、なさねばならぬ何事も、ならぬは人のなさぬなりけり」との教訓を与えたといいます。

私たちも「よいこと」をしようとするときにはためらうことなく、「なせばなる」の心意気で、勇気を持って取り組みたいものです。

(五〇一号)

18日

愛のある言葉が人生を動かす

文学者・徳冨蘆花《とくとみろか》（健次郎、一八六八〜一九二七）の青年時代の逸話です。青年時代の健次郎は、兄の蘇峰《そほう》がすでに一流の新聞記者として名を成していたのとは対照的に、文学を志しても道は開けず、一人、京都で人生に行き詰まっていました。さらに恋愛に破れると、さんざん放蕩《ほうとう》を繰り返した挙げ句に郷里の熊本へ連れ戻されます。「兄は天才なのに……」という周囲の冷たい眼が、健次郎を待っていました。

ところが、伯母である竹崎順子《たけざきじゅんこ》は「何《なん》の、好《よ》か、好《よ》か」という言葉をもって、健次郎の失意を全面的に受けとめ、大いなる人間愛のもとに慰め励ましたのでした。この愛のひと言が後の文学者・徳冨蘆花を生み出したといっても過言ではありません。

愛のある言葉は人の心を育て、その人生を大きく動かすほどの力を持っています。まさに「愛語《あいご》、よく回天の力あり」（道元禅師）といえるでしょう。

（三七五号）

4月

19日

「おかげさま」の発想

私たちは、何か苦しいことがあると、その原因を他の人や自分の境遇に求めて、心の中で〝あの人のせいで、自分が苦労しなければならない〟〝境遇が悪いせいで、自分はつらい思いをしなければならない〟と、ひそかにつぶやくことがあります。

こうした思いを放置しておくと、私たちの心は「○○のせい」をいくらでも見つけ出していきます。見つければ見つけるほど心は暗くなり、重くなります。

ここで、発想を変えてみてはいかがでしょうか。「○○のせい」を「○○のおかげ」と。すると、後に続く言葉が変わります。〝あの人のおかげで、自分を鍛えてもらえるんだ〟〝この境遇のおかげで、努力する人間になれるんだ〟と。

感謝の心を忘れず、苦労や苦難をも「おかげさま」の発想で受けとめることができれば、心は豊かになり、人生はよい方向へと導かれていくことでしょう。

（三八一号）

20日

この町を好きにさせてくれた人

中国からの留学生であるKさん（女性）のお話です。期待と不安の入り混じる気持ちで来日したKさんは、ある夜、「この町が好きになる」出来事を体験したといいます。

その夜、道に迷ったKさんは、たまたま通りかかったおばあさんに大学の学生寮への道を尋ねました。すると「こんな遅い時間に一人では危ないよ」と言って、おばあさんが寮まで送り届けてくれたのです。Kさんはこう記しています。「私は、おばあさんの好意に甘えて無事に寮に着いたが、一人で暗い夜の中に消えていったおばあさんの後ろ姿を見て、目が潤《うる》んでしまった。私の安全を心配したおばあさんは、自分の帰り道が怖くないのだろうか……」（「留学生の目に映る町の人々」柏南ロータリークラブ）

思いやりの心に基づく小さな行為。それは多くを語らなくても、ふれあう相手の心から感謝の気持ちを引き出し、その相手の優しさをも呼び覚ますのです。（四二〇号）

4月

21日

「今」を支える先輩たち

親祖先の世代の人生を思うと、現代ほど便利で豊かな暮らしを送れなかったことは言うまでもありませんが、戦争や災害に見舞われたり、物資が不足したりと、その時代、その時代でさまざまな苦労があったことでしょう。それでも、先輩世代はみずからの人生を力強く生き抜き、次の世代を大切に生み育ててきました。そして、さらに先の世代のためにも、よりよい社会を築こうとしてきたのです。私たちが今、ここに存在し、こうして生活できるのは、そうした営みが脈々と受け継がれてきた結果です。

今、私たちが身近に接することのできる両親や祖父母、地域のお年寄りは、そうした先輩世代の代表です。その人たちとのふれあいを通じて「いのちの存続と社会の発展のために、自分に先んじて苦労をされた先輩世代」への尊敬と感謝の念を育むことが大切ではないでしょうか。

（平成二十四年全国敬老キャンペーン特別号）

22日

相手の「美点」を見つめる

夫婦が仲睦《なかむつ》まじく暮らすには、相手の欠点ではなく「美点」を見つめる姿勢が大切です。Ｋさん夫妻は、自身が手本とする兄夫婦の姿について、こう語っています。

「母の葬儀の際、兄たちは頂戴《ちょうだい》したお香典を防犯の点から、わざとなんの変哲もないお菓子箱に入れておいたようです。ところが姉は忙しさから、どこに置いたか忘れてしまった。姉が『どこにあるのだろう』と焦《あせ》っているのを見かけた兄は、『そこがお前のいいところやけどな』と優しく言って、一緒に探し始めたのです。私は、兄のそのひと言に心打たれました」

Ｋさんたちは感謝の心の大切さを、日々、父親から説かれてきたといいます。相手を自分の大切な人と思い、感謝の心で接していれば、必ず「美点」は見えてくるのではないでしょうか。感謝の心こそ、相手との距離を縮めていくのです。

（四九五号）

23日

わずかな時間を惜しむあまりに

今日の企業においては、時間あたりの生産性を少しでも高めようとして、成果主義の名のもとに社員間の競争が奨励されることがあります。もちろん、社員同士がお互いに切磋琢磨《せっさたくま》することは、組織を活性化し、企業間競争に生き残るためには不可欠といえますが、「同僚を押しのけてでも、自分の仕事を早く進めたい」ということになれば、職場の雰囲気はギスギスしてくるでしょう。

中国の古典には「終身路《しゅうしんみち》を譲るも百歩を枉《ま》げず」という言葉があります。一生涯、人に道を譲り続けたとしても、そのために余分に歩いた距離の合計は百歩にもならないということです。

私たちは今、わずかな時間を惜しむあまりに「お先にどうぞ」という思いやりの心を失ってはいないでしょうか。

（四五六号）

24日

自分の内にある「純金」

長年青少年の教育に携わってきた岩橋文吉《いわはしぶんきち》氏（九州大学名誉教授）は、幕末に多くの人材を育てた吉田松陰《よしだしょういん》（一八三〇～一八五九）の事績から、次のように述べます。

「松陰は、人はどんな人でも真実な人生を生きるために学問・勉学をすべきであるとの主張に立っていましたが、その主張は、天が各人すべてに授けた『天性』を確信し、これを尊重することに基づいていました。（中略）松陰はまたこの天性を純金にたとえ、人は誰でもその内面に天性の純金を含んだ金の鉱石のようだと説いています。人は誰でも尊ばれねばならないのは、それがただの石ころではなく内面に純金を含んだ金の鉱石だからです」（『人はなぜ勉強するのか』モラロジー研究所）

私たちは、自分の内にある「純金」をみずから見つけ出し、それを一生かけて磨き上げ、その輝きを社会や人のために役立たせていきたいものです。

（四六五号）

25日

「親竹」に心を向け続ける

地表に出てきたばかりのタケノコは、ほんの少し曲がっていて、頭の先を親竹のほうへ向けています。しかしこれはわずかな期間だけのことで、生長するにつれてまっすぐ上に向かって伸びていきます。

これは人間にも当てはまることかもしれません。幼いころは親のほうを向いていた子供が、成長するに従って親離れしていく——それでも、親はいつも子供のことを思い続けているのではないでしょうか。日々の生活の中で、そうした親の思いに心を向けていきましょう。離れて暮らしていても、手紙や電話を通した報告・連絡・相談を心がけたり、元気に生活している姿を見せたり、兄弟姉妹が仲よく助け合ったりしていくことで、親はどれほど安心し、満足するでしょうか。同時に、私たちのいのちの根源としての祖先に対する感謝の気持ちも、大切に持ち続けたいものです。（二八四号）

26日

失敗は次へのステップ

日常生活の中で問題が生じたとき、私たちは必要以上に後悔や悲観をしたり、自暴自棄に陥ったりしがちです。また、原因や責任の追及のみにとらわれ、自分の正しさを主張して他人を責める場合もあるでしょう。これでは問題が解決しないばかりか、お互いに対する不満が募り、事態をますます悪化させることにもなりかねません。

失敗によって気持ちが落ち込むのは仕方のないことですし、問題を正しく解決し、同じ失敗を繰り返さないためにも、原因を究明することは必要です。しかし、何より大切なのは、その失敗を受けとめる自分自身の心のあり方です。

苦難を「自分を次のステップへと導いてくれる、絶好の成長の機会」と受けとめたとき、それは「苦しみ」ではなくなっているのではないでしょうか。事態の受けとめ方次第で、失敗の経験もプラスへと転化させることができるのです。

（五〇七号）

4月

27日 無財の七施

『雑宝蔵経《ぞうほうぞうきょう》』というお経の中に、「無財《むざい》の七施《しちせ》」という教えが説かれています。

一、眼施《げんせ》（周りの人たちに、常に優しい、思いやりのある、慈《いつく》しみの眼ざしで接すること）

二、和顔施《わげんせ》（和やかな顔、喜びにあふれた顔、希望に満ちた顔で接すること）

三、言辞施《ごんじせ》（気持ちのよい、明るい言葉、温かい言葉で話しかけること）

四、身施《しんせ》（骨身を惜しまず、真心を込めて奉仕すること）

五、心施《しんせ》（相手の気持ちを考え、相手の喜びを共に喜ぶような心で、親身に接すること）

六、床座施《しょうざせ》（他の人のために気持ちよく座席や場所を譲ること）

七、房舎施《ぼうしゃせ》（温かく自分の家に迎えたり、雨宿りの場所を提供したりすること）

これらは何も特別なことではありません。日常の小さなことでも人を喜ばせることができ、自分自身も穏やかで温かい気持ちになれるのです。

（三五七号）

28日

国があることの幸せ

麗澤《れいたく》大学で教鞭《きょうべん》を執る竹原茂《たけはらしげる》氏（旧名＝ウドム・ラタナヴォン）は、祖国ラオスの革命により亡命を余儀なくされた後、難民として数々の苦難を味わい、悩んだ末に日本国籍を取得しました。竹原氏は言います。「国家が崩壊すると、国籍もなくなり、住むべき場所も失います。国籍がないということは、戸籍登録さえ受け付けてもらえないということを意味するのです。渡航証明書をもらって外国で生活をしていても、国の信用が落ちているので、その国の国民というだけで信頼してくれず、就職するときにも条件が不利になってしまいます。（中略）祖国を失ってみて、私は国家の恩恵をいっそう強く感じるようになりました」（『ラオス・日本、アジアに生きる』麗澤大学出版会）。

私たちはふだん、国の存在をさほど意識せずに生活していますが、竹原氏の言葉は「自分の国があることの幸せ」を教えてくれるのではないでしょうか。

（四二五号）

29日

恩を知り、恩に報いる

仏教の教えに「知恩」「感恩」「報恩」という言葉があります。これは、自分自身が数限りない恩を受けているという事実を知り、それらの恩に感謝して、恩に報いることの大切さを説くものです。

自分を支えてくれる身近な人々や、自分の生活を支える社会とのつながりを認識し、一人ひとりがその一員としての務めを果たしていくことで、私たちの社会生活は保たれ、将来にわたって発展していきます。そして「先人たちの苦労や努力の上に、今がある」という点に思いを致し、〝次の世代が幸せに暮らせるように〟と願って、今を築いてくれた先人たちの思いを受け継いで、子孫の世代が自分たち以上に幸せな暮らしができるよう、社会の維持・発展に努めていくことは、先人の恩恵に報いる方法の一つといえるのではないでしょうか。

（五〇六号）

30日

「心の成長の旅」を通じて

学校教育を受ける時代と成人期の初めごろまでは、一人前の社会人になるための修行の時代といえますから、いろいろなことを学ばなければならないのは当然といえば当然でしょう。ところが経験を積んでくると、新しいことを学ぶのが面倒になることもあるのではないでしょうか。

しかし、人の一生を「心の成長の旅」としてとらえるなら、体力や気力が衰え始める壮年期以降は、心の面の成長を「学び」の目的としていきたいものです。「心の充実」や「心のゆとり」は、この年代にこそ望まれるものでしょう。

生涯学習の目的は、私たちが青年期だけでなく、壮年・高年になっても学び続けることで、自分の能力を十分に開花させ、心豊かな人生を築くことにあるといえます。

（二九六号）

4月

5月

1日　富士山のイメージ

「富士山をイメージして、その形を絵に描いてください」。こう言われたら、皆さんはどんな絵を描くでしょうか。新幹線の車窓から見えるような富士山を描く人、その山頂に浮かぶ雲まで描き添える人……。中には、真上から見下ろした山の形をイメージして「◎（二重丸）」を描く人もいるかもしれません。

対象となる富士山自体の形は変わりません。ところが横から眺めるのか、上空から見下ろすのか等々、観察者の視点がどこに置かれるかによって、その見え方やとらえ方はまったく異なってくるのです。

このことを私たちの日常に置き換えて考えるとどうでしょうか。人は自分中心に物事を考える傾向があります。しかし、それを相手や第三者の立場からの見方に変えてみると、自分の視野が広がって、新たな発見があるかもしれません。

（四二四号）

2日

食卓で深まる家族の絆

食事を人と共にしたとき、一人で食べたときより格段においしく感じられた、という経験はないでしょうか。喜びを共有できる相手がいると、食事には彩りが添えられます。テレビを見ながら「ただ同じ場所で食べる」というだけでは、そうはなりません。相手と顔を見合わせ、言葉を交わしてこそ、温かい空気が流れるのでしょう。

家族そろっての夕食は、その日の出来事などを話し合える、団欒《だんらん》のひとときです。また、話題には上らずとも、子供の表情から〝学校で何かあったのかな〟と察することもあるでしょう。食卓で家族と向き合うことは、互いに心を通わせて、絆《きずな》を深めることにも役立つのではないでしょうか。

家族がそろって食卓を囲むことの意味を思い起こし、忙しい毎日の中でも、少しでもそうした機会をつくってみてはいかがでしょうか。

（四六六号）

5月

3日 世界が認めた日本人の生き方

アメリカの動物学者エドワード・モース（一八三八〜一九二五）の言葉です。

「自分の国で人道の名において道徳的教訓の重荷になっている善徳や品性を、日本人は生まれながらに持っているらしいことである。衣服の簡素、家庭の整理、周囲の清潔、自然およびすべての自然物に対する愛、あっさりして魅力に富む芸術、挙動の礼儀正しさ、他人の感情についての思いやり……これらは恵まれた階級の人々ばかりでなく、最も貧しい人々も持っている特質である」（『日本その日その日（一）』平凡社）

モースに限らず、幕末・明治期に来日した多くの外国人が「世界一礼儀正しい」「本物の平等精神が社会の隅々まで浸透している」などと、日本人の心のあり方や生き方を賞賛しています。今を生きる私たちは、こうした先人の心を胸に刻み、社会、そして世界へと臨んでいきたいものです。

（四八八号）

4日 自然と共生してきた日本人

古来稲作を行ってきた日本人は、これに欠かせない水や森林などの自然をも大切に守り育てていました。日本文化の特色は、自然を支配するとか利用するという考え方ではなく、自然を生かし、自然と共に生きてきた「共生の文化」であるといえます。

富山和子《とみやまかずこ》さん（立正大学名誉教授）は、次のように述べています。

「日本では、山の緑を払ってそこを穀倉地帯にしたのではなかった。日本人が穀倉地帯にしたのは大河川の氾濫原《はんらんげん》であり、そこは海だか陸だか川だか分からないような葦《あし》野《の》が原《はら》であり、その土地を洪水から守るためにも山へ行って木を植え、水を作るためにもまた、山へ行って木を植えた。（中略）高度に発達した文明国のなかで日本は、木を植えることで文化を育ててきた唯一の国だったのである」（『日本の米』中公新書）

今日、私たちは自然との「共生」を忘れてはいないでしょうか。

（四一一号）

5月

5日 誕生日の誓い

親が子を生み育てるという営みは、私たちの祖先によって絶えることなく繰り返されてきたものです。そこには、どれほどの苦労と努力があったことでしょうか。

私たちは、自分が誕生したときのことを覚えていません。ですから父母をはじめ、周囲の人たちが、子供が生まれたときの様子や気持ちを伝える機会を持ってはいかがでしょうか。親がすでに他界されている方は、親の笑顔を思い浮かべ、親の心に思いを馳《は》せてみるのもよいでしょう。私たちの体の中に脈々と生き続ける親祖先との「つながり」をあらためて思うことが、誕生日の大切な意味ではないでしょうか。

誕生日は、一年に一度、誰にでもやってくる人生の節目の一つです。周囲からの祝福を受けると同時に、授かったいのちの意味について思いを深め、これからの人生をよりよく生きていくことを誓う日にしていきたいものです。

（四〇四号）

6日 たったひと言でも

葉子さんが大学を卒業し、社会人になったばかりのころの話です。慣れない業務や人間関係のストレスから〝自分はこの仕事に向いていないのでは〟と悩んでいた葉子さん。そんなとき、先輩のみどりさんからこんな言葉をかけられました。「この書類、あなたが書いたの？　いい字を書くわねえ。きりっとしていて、品があるわ。こういう字、私、好きよ」と。葉子さんは目の前がぱあっと明るくなり、〝また明日から頑張ろう〟という気持ちがふつふつと湧《わ》いてくるのを感じました。

以来、みどりさんの言葉はいつも葉子さんの頭の中にあり、心が沈んだときにはこれを思い浮かべ、自分を励ましていました。そのうちに〝そうだ、きりっと一本筋が通っていて、みんなから好かれる人になろう〟とも考えるようになりました。

たったひと言でも、人の生き方を大きく方向づけることがあるのです。

（四五三号）

7日

初めから立派な親はいない

かつて子育てをする母親の周りには、祖父母や近所の人など多くの大人がいて、一緒に子供の面倒を見たり相談に乗ったりということが、普通に行われていました。ところが核家族化が進み、地域のつながりが弱まるにつれて、母親が一人で子育てを引き受けることになり、問題を抱え込んで悩んでいるケースもあるようです。

こうした背景から、最近では地域の若い母親に勉強や交流、息抜きの場を提供する「子育て支援サークル」が、各地で活動を展開しています。そこには、子育てを終えた世代の〝自分の体験を次の世代に伝えたい〟という思いも生きているようです。

初めから立派な親はいないものです。誰もがさまざまなことに悩みながら、子育てをしてきたはずです。子育て中の世代も、そして子育てを終えた世代も、互いに心を開いて語り合ってみませんか。

（四四一号）

8日

継続を力にした先人

宮大工・西岡常一《にしおかつねかず》氏（一九〇八～一九九五）の祖父は、常一氏を三歳のころから宮大工として働く自分の仕事場に連れていき、容赦なく鍛えたといいます。そして、常一氏が学校に入るときには両親の反対をよそに、工業学校ではなく農学校に入れました。そこには深慮遠謀《しんりょえんぼう》がありました。祖父は、土で瓦《かわら》や壁をつくり、木で建物を建てる宮大工の仕事には、農業こそが欠かせない基礎だという信念を持っていたのです。

そんな祖父に育てられた常一氏は、やがて、火事で焼け落ちた法隆寺金堂《こんどう》を再建し、室町時代に戦火で失われた薬師寺金堂をも再建します。これは、代を継いで継続した努力が実った結果といえるでしょう。

夢を持ち、目標を立ててそこに向かう努力を継続するという、時代を超えた価値を持つ大切な営みの意味を、私たちも次の世代に継承していきたいものです。（四八七号）

5月

9日 風になびく草花のような心で

大木を倒すほどの強い風が吹いたときも、風の勢いに逆らわない草は、結果として折れることなく残るものです。

私たちの感情の対立にも、同じことがいえないでしょうか。人と人との関わりの中で、自分にとって不都合なことが起きた場合に、自分の感情を正面から相手にぶつけては、相手の抵抗も大きく、不和や争いの元になるでしょう。また、その感情を自分自身の心にぶつければ、ますます不満が膨らみ、苦しくなっていきます。

「理屈では分かっていても、感情が許さない」といったとき、まず自分自身の感情を収めることができれば、相手に対しても自分に対しても、その感情をぶつけずに済みます。かたくなになりがちな自分の心を、さらさらと風になびく草花のようにやわらかくして、何事も優しく穏やかに受けとめていきたいものです。

（二九〇号）

10日

よい人柄をつくる

「あなたのお子さんは成績がよい」「あなたのお子さんは人柄がよい」――親として喜ばしく思えるのは、どちらの褒《ほ》め言葉でしょうか。

国立教育研究所長などを務めた平塚益徳《ひらつかますのり》氏（一九〇七～一九八一）は、品性の育成ということを大切に考えるイギリスでは、前者のように言われたとき、ほとんどの親はあまり喜ばないと述べています。「頭がいい」というのは、「切れる刃物を持っている」と言われたのと同じだからです。知識とは、悪く使えば人を傷つける材料にもなるため、単なる「知識の人」はむしろ軽蔑《けいべつ》されるというのです。

さまざまな教科を学んで社会人として必要な知識や情報を身につけ、自分の可能性を高める努力をするのは大切なことです。しかし、それらを真に生かすための品性を養うということに、私たちはもっと目を向けるべきではないでしょうか。　（二二二三号）

11日

「思い込み」へのとらわれ

挨拶をしたのに、相手が返事をしてくれなかったという経験はないでしょうか。

こんな些細《ささい》な出来事でも、私たちの心は傷つきます。心が傷つくと、物事を悪いようにとらえがちですが、そうではなく、その物事を「希望」「信頼」「喜び」「感謝」につながるように受けとめていくことが大切です。例えば、相手が挨拶を返さなかったのは、体調が悪かったたか、考え事をしていたかで、こちらの声が耳に入らなかったのかもしれません。そんなふうに、相手を信頼して受けとめてみるとよいでしょう。

そのためには「思い込み」にとらわれている自分を脱して、いろいろな角度から自分の心を眺めることが必要になります。

私たちの心は傷つきやすく、もろい面を持っていますが、大切なことは、その傷から何を学び、どのような人間関係を育んでいくかにあるといえるでしょう。（四〇七号）

12日

母の赤い腰紐

作家の吉川英治《よしかわえいじ》氏（一八九二〜一九六二）は、郷里を離れて働いていた青年時代のある日、赤い紐《ひも》で結《ゆ》わえた小包を受け取りました。それは見覚えのある母の腰紐《こしひも》で、中身は数冊の本と刻みたばこ。本が好きな息子を思って、母が送ってきたものでした。この代金を稼ぐために母が幾晩徹夜で内職をしたかと思うと、吉川氏は涙があふれたといいます。翌日から、ベルトの上に赤い腰紐をぎゅっと締めて仕事に行きました。

後年、文化勲章を受章した吉川氏は、その日の夜に「色のさめた母のシゴキ（腰紐）が、自分の杖《つえ》となって、自分は今日まであまり間違いもせず、世の中をわたってこれたのだ」と述懐しています（参考＝扇谷正造著『吉川英治氏におそわったこと』六興出版）。

苦悩に満ちた人生の中で、時に道を踏み外しそうになった吉川氏を思いとどまらせたのは、自分のことを本当に思ってくれる母との心の絆《きずな》だったのです。

（四八四号）

13日　雑用という名の仕事はない

出版社で働くMさんは若いころ、上司にコピーを頼まれると〝どうして自分が雑用を……。早く終わらせて自分の仕事に戻りたい〟という思いしかありませんでした。

そんな気持ちで片付けたコピーは、原稿の途中で切れているページが何枚もありました。しかもコピーが終了したことも報告していなかったため、上司からは一喝。この失敗から、Mさんは「コピーを取るという仕事を疎《おろそ》かにしない」「受け取る相手に満足してもらえるように、枚数や抜け、重なりがないかまでしっかり確認する」「終わったら必ず上司に報告する」という三点を心がけるようになりました。すると〝コピーなら任せてください〟という「小さな誇り」まで感じるようになったといいます。

雑用という名の仕事はありません。雑用と思うかどうかは自分の心次第です。自己中心から相手中心の見方に変わるとき、仕事の意味を再発見できるのです。（四二一四号）

14日

大人を見つめる子供の目

子供と一緒に車で出かけた際、「皆がやっていることだから」と、つい駐車禁止のスペースに車を停めてしまった、という経験はないでしょうか。

子供たちは身近な大人の言動をよく見聞きしています。また、テレビなどを通して社会のいろいろな不正行為を知らされることもあります。こうしたことが積み重なって〝大人の社会は汚い〟〝正直者は馬鹿を見るだけだ〟といった考えが子供の中に植え付けられたら、子供たちは大人への信頼を失ってしまうのではないでしょうか。

今、社会のモラルの低下を嘆く人は多いのですが、一人ひとりはそうした風潮と本当に無関係なのでしょうか。気づかないうちに、私たちもその原因になっていることはないでしょうか。大人の責任は大きいと言わざるを得ません。こんな時代だからこそ、私たち一人ひとりが今一度、モラルの原点を見直したいものです。

(四〇二号)

5月

15日 心と知恵で支える介護

「介護には、心と知恵と技術が必要である」といわれます。

介護に際して最も重要なことは、介護を受ける人に対して、家族全員が心からの愛情を持って接しているかどうかです。そのためには、介護をする側が問題を一人で抱え込むのではなく、多くの人々と分担して、専門家の知恵や技術を上手に利用することも必要です。大切なことは「介護を受ける人にとって、どうすることがいちばんよいのか」「お互いの関係をよい状態に保つには、どうすればよいのか」という点ではないでしょうか。

また、親族や地域など周囲の人たちの無理解も、介護に当たる人を苦しめます。周囲が介護の大変さをよく理解して、金銭面や肉体面、心理面などのさまざまな形で支援していくことも求められるのです。

（四二七号）

16日

「もったいない」という心がけ

地球環境保護運動に尽力したケニアのワンガリ・マータイさん（一九四〇〜二〇一一、ノーベル平和賞受賞者）は、来日時に「もったいない」という日本語に出会って感銘を受け、これを世界に広めることを提唱しました。

もったいない――この言葉には、「その物の値打ちが生かされず、無駄になるのが惜しい」という意味が含まれています。

わが国の先人たちは、「もったいない」の精神で物の価値を生かしきり、資源を次の世代のために保ち、残してきました。この精神をしっかりと受け継いで、一人ひとりが日々の暮らしの中で資源を浪費せず、どのような物も大切に扱い、リサイクルも含めて十分に活用する努力をしていくことが、地球環境を守るために私たち一人ひとりにできる「小さな心がけ」の一つではないでしょうか。

（五一五号）

17日 道徳の実行は「喜びの源」

私たちの心は、自分中心にはたらきやすいものです。この利己的な心づかいは、完全に取り去ることはできないものかもしれませんが、利己心を多少なりとも少なくしようと努めることが大切です。私たちが「感謝の心」や「思いやりの心」などのきれいな心を使えば、結果として、自分の心に喜びが生まれるのです。その効果は、きれいな心を使ったときに、直ちに自分で実感できることでしょう。

私たちは、誰もが喜びの多い人生を望んでいますが、なかなか期待どおりにいかないのも現実ではないでしょうか。しかし、私たちの「喜び」は、きれいな心づかいをすることによってつくられるということが理解できれば、もっともっと喜びの多い人生を築くことができるはずです。道徳の実行とはつらいものではなく、喜びの源なのです。

（三六五号）

18日

水を与えるよりも、井戸の掘り方を教えよ

困っている人に対して手を差し伸べるのは大切なことですが、なんでも「やってあげる」「してあげる」ということが、必ずしも相手のためになるとは限りません。

「水を与えるよりも、井戸の掘り方を教えよ」という言葉があります。開発途上国へ援助に赴《おもむ》いて、渇きを訴える人たちに水を与えるだけならば、その水を飲み干した後は皆、再び渇きに苦しむことになるでしょう。また、ポンプ付きの便利な井戸を「つくってあげた」としても、現地の人の手で管理できるものでなければ、ポンプが壊れた時点で用を成さなくなります。だからこそ、現地の技術力に見合った井戸の掘り方や、これを維持していく方法を伝える必要があるのです。

同時に、みずからの手で物事を成し遂げることでその人自身が味わう達成感や喜びも、大切にしていきたいものです。

（五〇八号）

5月

19日

「人のため」という視点が喜びを生む

「自分の好きなこと」「自分が夢中になれるもの」を仕事にできるのは、幸せなことです。しかし、その考えにとらわれすぎると、自分自身を苦しめることになりかねません。希望が叶《かな》わなかったときは、不平不満や後悔だけが残るでしょう。

心理学研究者の林道義《はやしみちよし》氏は「子供に自信をつけたかったら、『好きなことを見つけなさい』ではなく、『人の役に立つことを見つけなさい』と言うべきである。（中略）人の役に立てば、人から喜ばれ、感謝され、好かれ、評価される。本人も気持ちよくなり、自信も出てくる。人柄もよくなり、積極的に社会に出ていくようになる。一生続けられる道も見つかるかもしれない」（『産経新聞』平成十七年七月四日付）と説いています。

自分に固執すれば視野は狭くなり、日々の小さな感動は失われます。「人のため」という視点を持ってこそ、喜びの多い人生を築けるのではないでしょうか。（五一一号）

5月

20日

偉人たちの失敗と挫折

人は誰でも「失敗」を経験するものです。失敗しない人などいません。そのことはよく分かっていても、実際に失敗してしまうと、私たちは落ち込み、なかなか立ち上がることができなくなります。しかし、再び失敗することを恐れてチャレンジ精神を失ってしまうのは、惜しいことです。

アメリカの発明家トーマス・エジソン（一八四七〜一九三一）も、電球の発明に至るまでには膨大な回数の失敗を重ねたということです。しかし「気落ちしたことも、あきらめる気になったこともない」と、後に語っています。

ほかの偉人といわれる人たちも、決して順風満帆《じゅんぷうまんぱん》な道だけを歩いてきたわけではなく、皆、多くの失敗や挫折《ざせつ》を味わってきたのです。それでも決してあきらめず、その失敗と挫折をばねにすることで、成功をもぎ取ったのでしょう。

（五〇七号）

21日 親孝行のできる社員を育てる

社会人として初めての給料を手にしたとき、プレゼント等で親に対する感謝の気持ちを表そうとする人もいるでしょう。これも親孝行の一つといえますが、その気持ちを常に持ち続けることは、なかなか難しいものです。

今、社員教育の一環として「親孝行のできる社員を育てよう」という点を掲げ、実際に「親孝行手当」を支給する企業もあるといいます。たとえ花一輪でもプレゼントすることを通して、親に対する感謝の気持ちや、それを実行に移す心を持った人は、お客様や仕入先の要望などにも温かく対応できるということでしょう。

企業が顧客に満足を得てもらうには、社員一人ひとりがよりよい人間性を備えていることが大切です。企業としても、あらためて親孝行の価値について認識する必要があるのではないでしょうか。

（四一六号）

22日

褒め行為発見カード

会社員のTさんは、ある管理職セミナーに参加した際、部下育成の秘訣《ひけつ》として「褒《ほ》め行為発見カード」を勧められました。毎日一件、「部下の賞賛すべき行為」と「その部下を褒める言葉」をカードに書き込んでいく、というものです。

実践を始めて一か月ぐらい経《た》ったころ、Tさんは自分自身の変化に気づいたといいます。〝今日は何が書けるかな〟と考えるうちに、部下の美点に目を向ける習慣が身についていたのです。そしてカードには、部下の工夫や心配りに対する感謝の言葉が添えられるようになっていました。

これを夫婦の間でも応用してみたら、何が見えてくるでしょうか――。日ごろ、相手がしてくれることは当たり前のように思っている行為の一つ一つに対しても、心からの「ありがとう」という言葉をかけたくなってくるかもしれません。

（四八九号）

23日

見返りを求めない心

「惻隠《そくいん》の心は仁《じん》の端《たん》なり」という言葉があります。人の苦境を見て惻《あわれ》み隠《いた》む心、助けたいと思う心は、仁愛の心、慈愛の心の糸口であるという孟子の言葉です。

よちよち歩きの子供が川に落ちそうになっているのを見れば、われを忘れて駆け寄り、助けようとするものでしょう。そのときの心は、お礼を言われたいとか、助けないと非難されるから、というものではありません。まさに見返りを求めない心であり、慈愛の表れといってよいものです。私たちは、誰もがこの慈愛の心を宿しています。

しかし現実には、人に優しく、親切にするよりも、自分にとって損か得かを考えて行動したり、人を不公平に扱ったりすることが多いのではないでしょうか。

このように人の心には、よくも悪くもはたらくという二面性があります。だからこそ、日々優しさを発揮し、慈愛の心を大きく育てていく必要があるのです。（四二〇号）

24日

地域を生かす、自分を生かす

都市化が進む中でも、地域社会の大切さを見直そうとする動きが全国各地で起こってきています。行政の協力を得ながらも、地域の抱えるさまざまな問題を住民一人ひとりの協力で解決していこうとするものです。例えば、「地域の大人が学校でお話をするなど、地域ぐるみで子供の教育を見守る」「一人暮らしのお年寄りを訪問し、食事を提供したり、話し相手になったりする」等の活動を行っている地域もあるでしょう。

それほど身構えて行うことではなくても、ほんの少しの時間と労力を他人のために役立てることで、地域に貢献することができ、また、自分自身も喜びと満足感を得ることができます。何より、こうした活動を通じて自分たちが安心して気持ちよく暮らせる社会、子供たちが健全に育つ地域ができていくのです。地域のために何ができるか、それを考えて行動に移すことが、初めの一歩ではないでしょうか。

(三八五号)

25日

誤解をされても「反省」

私たちは、自分に明らかな落ち度があって人から非難された場合でも、そのことを素直に受け入れられないときがあります。ましてや誤解を受けたり濡《ぬ》れ衣《ぎぬ》を着せられたりして窮地に陥った場合は、憤懣《ふんまん》やるかたない思いに駆られ、自分の正当性を強く主張するものでしょう。

もちろん相手の誤解を解いて、正しく理解してもらうための努力は必要です。しかし、こうした場合もただ相手を責めるのでは、お互いの中に憎しみの心が育つだけではないでしょうか。まずは〝誤解を受けて非難されるのは、まだまだ日ごろの自分に人からそう思われるような不完全な部分があるからではないか〟と、みずからを振り返ってみるのです。そしてますます謙虚に自分のやるべきことに努め、心を磨いて周囲への思いやりを尽くしていくと、新たな道が開けてくるかもしれません。（二六〇号）

26日

子供の自立心を引き出す

初江さん（50歳）は、夫と三人の娘との五人家族。上の二人の娘は大学へ進学してひと安心、末っ子の輝子さんも大学へ進学するものと考えていました。ところが輝子さんは「製菓の専門学校に行く」と、進路を一人で決めてしまったようです。初江さんにはそれが一時の感情に思え、なんとか大学進学を勧めたいと思うのですが……。

親は、常に子供の成長を喜ぶものです。ところが、子供の考えが親の考えと違ってくると、つい親のエゴが顔をのぞかせます。そうしたときは、親自身も自分の心の動きをじっくりと見つめてみる必要があるでしょう。

子供が持っている「自立しようとする力」や「生きる力」をよりよく引き出していくためには、子供が何に喜びを見いだそうとしているのかを、子供の立場になって考えていくことが大切ではないでしょうか。

（三八三号）

5月

27日

次の世代に伝えるもの

人生の後半期には、前半期とは少し違った課題があります。それは、前半期に培《つちか》ってきたものを次の世代に伝え、譲り渡していくことではないでしょうか。

昔は農業・漁業・林業でも、物づくりでも、商売の道でも、親から子へ、高齢者から若年者へと、その仕事の知識や技術、経験や知恵が伝えられてきました。古来、次代を担う若い人たちは、まず親や職場の先輩・上司など、前の世代の人からその経験と知恵を学び、それを真似《まね》て、身につけることから始めてきたのです。

また、次の世代に伝えるものは、仕事や文化ばかりではありません。わが国の歴史や郷土の先人たちの歩み、そして、それらと分かちがたく結びついた一人ひとりの人生の歩みそのものも、重要な要素でしょう。伝える側・伝えられる側が互いを尊重し合い、信頼感を育みながら、これらを大切に譲り渡していきたいものです。（四四五号）

28日

「他人のため」は「自分のため」

鎌倉時代初期の禅僧・道元《どうげん》（一二〇〇〜一二五三）の教えをまとめた『修証義《しゅしょうぎ》』の中に、「利佗《りた》を先とせば自らが利省《はぶ》かれぬべしと、爾《しか》には非《あら》ざるなり。利行《りぎょう》は一法《いっぽう》なり、普《あまね》く自佗《じた》を利するなり」とあります。

私たちは、他人の利益を優先させれば、自分の利益が減ってしまうというように考えがちです。しかし、そもそも「他人のため」と「自分のため」を分けて考えること自体に誤りがあるのではないでしょうか。人々に利益を与える行為は、それを行う本人にとっても「利行」です。自分と他人をも共に利するのです。

どんな仕事にも、それによって助かる人や喜んでくれる人が、必ず存在するでしょう。人の役に立っていると実感できれば、自分自身の喜びが生まれます。日々の仕事を、まず「人に喜ばれるように」という視点でとらえ直してみませんか。

（四二六号）

29日

「感謝する」という心の習慣

いつも感謝の心を抱《いだ》いている人は、心が安らかで、周囲の人々の心をも明るくすることができるものです。毎日を感謝の心で過ごすことができたなら、どれほど幸せな人生でしょうか。

感謝の心は、自分の周りの人に対してだけでなく、モノに対しても向けることができます。「いつも感謝しています」「ありがとう」と、日々の生活を支えてくれている道具や用品に感謝をするのです。返答のない、一方通行の感謝ですが、その心がけはモノのいのちを生かし、私たちの心にある感謝の種を育てていくことになります。

いつも感謝するという、心の習慣をつくってみませんか。その習慣は、きっと日々の生活に潤いと温かさを与えてくれます。そして、私たちの人生さえも大きく変えていくのではないでしょうか。

（四五八号）

30日

心がふれあう出会い

私たちは日常の中での「ふれあい」、つまり家族や周囲の人々の何気ない言動や表情などを通した気持ちの交流の中で、愛情の確認をしながら生きています。人は、愛情に触れていないと生きていくことが不安になり、つらいとさえ感じるものです。そして心がふれあうと、勇気や優しさが胸の奥に湧《わ》き上がり、生きる力が満ちてきます。

人生は出会いと別れの繰り返しです。その中でキラリと光る、心に深く刻まれる出会いがあります。それは、大きな愛で包まれるような安心感に触れたときであり、また、自分の生き方や人生の指針となるものに触れたときであるといえるでしょう。

「心がふれあう出会い」は、荒《すさ》んだ心を蘇《よみがえ》らせ、人がよりよく生きていくためのエネルギーを生み出します。まずは自分から、そうした出会いを生み出す努力をしていきたいものです。

（三九五号）

5月

31日

「植福」のすすめ

幸田露伴《こうだろはん》（一八六七〜一九四七）は『努力論』の中で、幸福になるために「惜福《せきふく》・分《ぶん》福《ぷく》・植福《しょくふく》」という生き方を説きます。これを説明するのに、露伴は「福」をリンゴの木にたとえて、次のように述べています。

毎年立派な実をつけるリンゴの木を、大切に管理して長持ちさせるのが「惜福」です。また、実を身近な人に分け与えるのが「分福」です。そして「植福」とは、リンゴの種を蒔《ま》いて新しい木を育てることで、より多く人に実が行き渡るようにすること。つまり天地の生々化育の作用を助け、人畜の福利を増進することが「植福」です。

植福――それは自分の持つ力や知恵や経験を生かし、仕事や義務、役割をきちんと果たして、未来の人々の幸福に貢献することといえるでしょう。それが、現代の社会を築いてきた先人たちの恩恵に報いることにもつながるのです。

（四三八号）

6月

1日

挨拶は感謝の言葉

「おはよう」「こんにちは」「さようなら」と、私たちは日々、多くの人と挨拶を交わします。明るく元気な挨拶は、当人だけでなく、はたから見ていても気持ちのよいものです。反対に、元気に挨拶をしても相手の返事がないと、嫌な気分になるでしょう。

挨拶の語源は、仏教語の「一挨一拶《いちあいいちさつ》」であるといわれます。「挨」には押し開く、互いに近づくという意味があり、「拶」には迫る、すり寄るといった意味があります。つまり人と人とが出会い、お互いに心を開いて相手に迫っていくことが「挨拶」です。

挨拶の短い言葉の中には、〝お元気ですか〟〝お世話になります〟〝ありがとう〟など、感謝や思いやりの気持ちも込められています。挨拶は良好な人間関係を築くうえでの最初の一歩であり、コミュニケーションの入り口です。そして、自分自身の謙虚な人柄をつくっていくきっかけにもなるでしょう。

（四五一号）

2日 ルーツを探る「心の旅」

世代間のつながりを求めようという気持ちは、若い世代からお年寄りまで、誰の心にもある自然な欲求といえます。

若い世代にとって、祖父母や父母の歩みを知ることは、「自分が、今、ここに生きている意味」を知るための大切な学びです。いわば、自分のルーツ（根源）を探る心の旅といってもよいでしょう。それは、未来の自分の生き方を考えるうえでの基盤になるに違いありません。一方の高齢者の側は、「生きた証《あかし》を残したい」「安心して次の世代に後を託したい」という思いが満たされていくことでしょう。

高齢者が長い人生の中で培《つちか》ってきた豊かな知識や経験が生き生きと発揮され、社会の中で共有されたとき、より円熟した社会が到来することでしょう。その実現のためにも、世代間でふれあい、語り合う場を大切にしていきたいものです。

（四〇九号）

6月

3日 人間性の中心は「品性」

『ニューモラル』では、日々の道徳的な心づかいと行いの積み重ねによって、その人の道徳性がつくられていくと考えます。この道徳性は「品性」とも呼ばれ、人間の諸能力を統合する力であり、人間性の中心ともいうことができます。

品性は、私たちの学力や知力、権力や経済力、さらには問題解決能力などを正しく方向づけるはたらきをするものです。いかに優れた知識や技術があっても、それが人を不幸にする道具に使われたとしたら、どうでしょうか。私たちは、持てる力が大きくなればなるほど、その力を正しく使いこなし、自分や周囲の人々の喜びや幸せに役立てるために、品性を向上させていく必要があります。

そうした努力を続けていくことで、年を重ねるほどに人間的な魅力が高まり、円満な人間関係と生きがいに満ちた生活が得られるでしょう。

（二三八号）

4日

善意を周囲に伝えていこう

自分に直接的に親切にしてくれた人に対してお礼を伝えることはできても、祖先や過去に生きた先人・先輩、また、見知らぬ多くの人々から受けている有形無形の恩を考えると、とうていすべては返しきれません。ですから、受けた善意や恩に感謝して、新たな善意のつながりを次世代や周囲の人に広げるという考え方が大切でしょう。

親や恩師、先輩から受けた恩を返しきれなかったと思うときや、親切にしてくれた相手の連絡先も分からないといった場合も、その感謝の心を他人への善意として伝えていくことができます。近所の人と笑顔で接する、お年寄りに席を譲るなど、小さなことでもよいのです。「恩返し」はいつでも、どこでも、誰にでも行うことができます。

善意は受けた人の心に残り、さらなる善意を育みます。一人ひとりの善意が社会に広がりめぐることで、よりよい社会が生まれるのではないでしょうか。

（四七四号）

6月

5日

道徳の実行には勇気が必要

孔子は「仁者《じんしゃ》必ず勇《ゆう》あり、勇者必ずしも仁あらず」と述べ、道徳の実行には他人に率先して行うだけの勇気が必要であることを説いています。

道徳というと、「自分一人だけが行っては損だ」とか「恥ずかしい」「照れくさい」といった思いから、敬遠したくなることもあるでしょう。しかし、日常生活の中で密接な人間関係を築く基本は、「相手を思いやり、慈《いつく》しむ心」、すなわち道徳心にあります。「道徳は人間関係の潤滑油」といわれる所以《ゆえん》です。そして「よいこと」を行えば、何より実行した本人が大きな喜びと満足感を味わうことができます。

一人でも多くの人が道徳心を育み、それを日常生活の中で勇気を持って実践していくことができれば、家庭の中も社会の中も、きっと明るくよりよく改善されていくことでしょう。

（四七一号）

6日

親との精神的な絆を問い直す

「孝は百行《ひゃっこう》の本《もと》なり」といいます。これは、自分を生み育ててくれた親・祖先に対して孝養を尽くすことこそ、あらゆる道徳実行の基本であることを教えたものです。親が存在しなかったら、私たちはこの世に生を享《う》けることはなかったでしょう。そして、父母の先には祖父母が、さらにまた曾祖父母《そうそふぼ》が存在しています。そこには、遠い過去から一筋につながる「いのちのつながり」があります。親に心を向け、孝養を尽くしていくことは、連綿と受け継がれてきた「いのち」を見つめ直すことにつながります。同時に、これからいのちをつないでいく子供や孫とのつながりを考えることでもあるでしょう。

親子や家庭の問題を発端とした悲しい出来事が多発する現代だからこそ、私たちは自分の親との精神的な絆《きずな》を今一度、しっかりと問い直したいものです。

（四五四号）

6月

7日

一人ひとりの心がけが未来をつくる

先人たちは、自然の恵みに感謝して、世のため人のため、さらには子孫世代である私たちのために、資源を大切に役立ててきました。今、私たちもまた、次の世代のために新たな種を蒔《ま》いて生きる務めを担っているといえます。

イギリスの天文学者ウィリアム・ハーシェル（一七三八～一八二二）は「友よ、われわれが死ぬときには、われわれが生まれたときより、世の中を少しなりともよくしていこうじゃないか」という言葉を残しました。

子孫たちのために、自然環境や資源、社会、文化、生き方なども、すべて少しでもよい状態にして、大切に受け継いでいく。そのために私たちの日常においてできることを考え、行動を起こしていくことで、未来だけでなく、今を生きる私たち自身の心と暮らしも豊かになっていくのではないでしょうか。

（五一五号）

8日

多世代共生社会を築くために

高齢社会とは、赤ちゃんからお年寄りまでのあらゆる世代の人たちが一緒に暮らす社会、つまり多世代が共に生きる社会です。

この多世代共生社会において、家庭や地域などの身近な場で、自分から心を開いて人と接していくという具体的な努力をすることによって、私たちの中に「思いやりの心」が育っていきます。私たちは、日常の「人と人との関わり合い」の中で、相手の立場をよく思いやって、共感していくように努めていきたいものです。

この一つ一つの「思いやり」と「行い」の積み重ねによって、心の通い合う温かい人間関係が育まれ、やがては心のつながった豊かな社会が築かれていくのではないでしょうか。一歩一歩、自分にできることから始めていきましょう。

(平成十一年全国敬老キャンペーン特別号)

9日 仕事も自分の心次第

生き生きと働くためには、主に次のような条件が必要であるといわれます。

①職場環境が整っていて快適なこと。
②個人の能力が発揮できる適材適所の人材配置がなされていること。
③給与や待遇面での公平性が確保されていること。
④やる気が高まる目標管理制度や報酬制度が整っていること。
⑤生き生きと働くことができる明るい社風が醸成されていること。

これらの多くは経営者に責任があるともいえるでしょうが、たとえどんなに恵まれた環境が整っていても、結局「働く人自身が、目の前の仕事に対してどのような心で取り組むか」に尽きるのではないでしょうか。その姿勢いかんによって、仕事は楽しくもなれば、つまらないものにもなるのです。

（四二六号）

10日

看脚下

　今から約九百年前の中国で、法演《ほうえん》というお坊さんが、闇夜《やみよ》に三人の弟子を連れて歩いていました。そのとき突然、提灯《ちょうちん》の明かりが消えて辺りは真っ暗になり、一行は立ち往生します。そこで法演は、弟子たちに「暗闇を歩くには明かりが必要だが、今、その明かりがなくなってしまった。お前たちは今、何を悟ったか」と尋ねました。

　弟子たちは三人三様の答えを出し、その中の一人が「看脚下《かんきゃっか》です」と答えました。すると、法演は「そのとおりだ」と言って、賞賛したということです。

　暗闇の中での「足元を見よ（看脚下）」という言葉。それは「自分は今、どんな場所に立っているのか」を冷静に見つめることの大切さを、私たちに教えてくれているのではないでしょうか。何か物事を行おうとする際は、自分の立場や周囲の状況を謙虚に見つめ、まず、自分の足元から正していくことを心がけたいものです。

（五一六号）

6月

11日 「心の眼」を曇らすもの

食べたことがなく、味もよく分からないのに〝嫌いだ〟と思い込むことを「食わず嫌い」といいます。人間関係においても、私たちは他人のほんの一面をとらえて〝あの人とは性《しょう》が合わない〟と決めつけ、避けてしまうことはないでしょうか。これは相手に対して失礼なだけでなく、自分にとってももったいないことです。

「心ここに在《あ》らざれば、視《み》れども見えず、聴《き》けども聞こえず、食えども其《そ》の味を知らず」（『大学』）という言葉があるように、私たちの物の見方やとらえ方は、その時々の「心の状態」に大きな影響を受けています。

些細《ささい》な思い込みが「心の眼」を曇《くも》らせたとき、他人の美点や長所も「視れども見えず」の状態になるのでしょう。心の曇りを晴らして、豊かな人間関係を築いていきたいものです。

（四三六号）

12日 子供は神様からの「預かりもの」

村上和雄《むらかみかずお》氏（筑波大学名誉教授）は、子供の誕生に関して次のように述べています。

「私たちは『子どもをつくる』と言います。しかし、それは少し傲慢《ごうまん》なことではないか、と私は思っています。なぜかといえば、私たちの力だけではカビ一つできないのです。それなのに人間の力だけで、赤ちゃんができるでしょうか。私たちが行っていることは、きっかけを与えて、あとは栄養を与えているだけなのです」（『いのちの素晴らしさ』モラロジー研究所）

子供はまさに神様や大自然からの「授かりもの」といえるのではないでしょうか。さらにその子供を「預かりもの」と考え、〝社会に役立つ人間にしてお返しする〟という視点を子育ての軸に置くと、子供への対応もおのずと違ってくるように思われます。そこに、今日の家庭問題を解決するヒントがあるのかもしれません。

（四三四号）

6月

13日 善を知るのはアテネ人、善を行うのはスパルタ人

古代ギリシャのお話です。アテネにある劇場で公演中、一人の老人が遅れて入ってきたため、座席を見つけることができませんでした。当惑している老人を見て、人々はあざけり笑いました。そのとき臨席していた数名のスパルタ人の使節が、困っている老人の様子を見て自分たちのほうへ手招きし、席を譲って恭《うやうや》しくもてなしました。満堂の観衆は、一つにはこれに感動し、また、自分たちの不徳を恥じて、万雷《ばんらい》の喝采《かっさい》でその行為を称《たた》えました。そこで「善を知るのはアテネ人、善を行うのはスパルタ人」という諺《ことわざ》が生まれたということです。

「敬老」とは文字通り、お年寄りを敬うことです。ところがその言葉をただ知識として知っているだけでは、お年寄りを大切にしたことにはなりません。心の通い合う敬老のあり方を、あらためて考えてみませんか。

（平成二十年全国敬老キャンペーン特別号）

14日 今を支える「あのひと言」

「あのとき、あの人のひと言によって、私はどれだけ心が癒《いや》され、生きる力を得たことか」という覚えがある人も、少なくないでしょう。

人が苦しみの中にあるとき、ほんのひと言であったとしても、優しさのこもったいたわりの言葉は心に染み込み、深く刻まれるものです。それは、その人の心の支えとなり、困難を乗り越えて人間的な成長へと向かう力にもなっていきます。また、他の人が自分に注いでくれている優しい思いに気づいたとき、安心感や喜びと共に「自分も周囲の人に対して、そのようにありたい」という思いも引き出されてくることでしょう。

毎日の生活の中で、私たちが発揮する「ほんの少しの優しさ」は、自分自身や周囲の人の日常を変える、大きな一歩につながることもあるのです。

（五一〇号）

6月

15日 安心して暮らせる町づくりを

東京都荒川区では、「おんぶ作戦」という災害時の避難援助体制を推進しています。これは「自力での避難が困難な高齢者や体の不自由な人を、おんぶしてでも救出する」という趣旨から名付けられたということです。

ある町会では、地元住民が「倒壊家屋救出隊」「おんぶ作戦隊」「消火隊」「予備隊（町会内の老人ホームから要請を受けて救出に向かう）」で構成する区民レスキュー隊を結成。平素レスキュー隊の訓練だけでなく、高齢者が安心して暮らせるように努めています。一人暮らしの高齢者に対しては本人了解のもと、両隣に住む人が見守り役と非常時の通報役を務めるのです。昔ながらの下町の人間関係があってこそのことでしょう。

「安心して暮らせる町づくり」の鍵《かぎ》は、地域の人々が日ごろから互いに声をかけ合って、「顔の見える関係」を築いていくことにあるのです。

（四二八号）

16日

親の恩に報いるために

「親孝行」というと、プレゼントをすること、食事や旅行に招待することなどを思いつく人も多いことでしょう。また、年老いた親への日常の手助けや、看病・介護などに心を尽くすことも、その一つです。しかし、その基本としてまず考えなければならないのは、「親に安心を与える」ということです。

親にしてみれば、自分が生み育てた子供は、どんなに成長しても「わが子」です。たとえ社会的に自立し、経済的に豊かになったとしても、常に子供のことを心配し、気づかう存在なのです。そうした親の心を思うなら、まず、私たちは自分の体を大切にしなければならないでしょう。また、兄弟姉妹が仲睦《なかむつ》まじくすること、そして円満な家庭を築いていくことで、親の心にはどれほど大きな安心と喜びが生まれることでしょうか。

（五〇三号）

17日

心づかいのトレーニング

私たちが生きていくうえで、周囲の人々に対する「思いやりの心」が大切であることは分かっていても、心のゆとりがなければ、その実践はなかなか難しいものです。心にゆとりを持つには、「立場を変えて考えてみる」「他に考え方はないか」といったことをいつでも実践できるように、心づかいのトレーニングをすることです。そのためには、いろいろな問題について日ごろから注意して考える努力が必要です。

たとえ一時的に人を責める心が出てきたとしても、相手の立場になって、お互いが自分の心を見つめ直すように努力すればよいのではないでしょうか。

こうしたことには積み重ねが必要です。心づかいのトレーニングを、じっくりと時間をかけて続けていくことで、しだいに効果が出てきて、真に相手の立場に立って相手の気持ちを理解できるようになるはずです。

（三七八号）

18日

「ジャポネース・ガランチード」

「ジャポネース・ガランチード」――。これは、ブラジルにおいて「日本人なら間違いない」という意味で用いられる言葉です。明治以降、ブラジルへと渡った多くの日本人は、勤勉・工夫・挑戦・協力し合う心を持ってさまざまな困難を乗り越え、ブラジル社会に貢献してきました。そうした姿が、日系人への信頼を高めていったのです。

細江静男《ほそえしずお》氏（一九〇一～一九七五）は、移民の健康維持のためにブラジルへ派遣された医師でした。外務省の委託期間は三年でしたが、生涯現地にとどまって巡回診療や病院づくりに尽くし、ブラジル社会の医療向上に大きな足跡を残します。日系・非日系を問わず診療を行い、アマゾン流域の奥地にまで回診に訪れたことで「アマゾン先生」と呼ばれました（参考＝丸山康則著『ジャポネース・ガランチード』モラロジー研究所）。

世のため人のため――その心が、日本の先人には染《し》み透《とお》っていたのです。（四八八号）

19日

自分を傷つけていたのは「自分」

社員研修の企画委員に推薦された玲子さん（25歳）。人前で話すことが苦手な玲子さんは、初めての会議の日、やる気に満ちたメンバーの中で一人気後れしています。そして自己紹介の際に「もっと大きな声で」と注意され、頭の中は真っ白になって――。

玲子さんが置かれた状況を整理すると「会議で自己紹介をした」「緊張した」「声が震え、思うように言えなかった」「声が小さいことを指摘された」ということでしょう。注意をした人は、聞きとりづらいという事実を言っただけで、玲子さんを非難する意図はありません。それを恥ずかしい、悔しいと感じたのは、玲子さん自身です。

人は自分一人の思い込みから、自分を傷つけてしまうことがあります。そんなときは、少し立ち止まって冷静に自分自身を見つめ直してみると、新たな一歩を踏み出す勇気が生まれてくるかもしれません。

（三八二号）

20日

喜びに満ちた人生を開くために

「人は一人では生きていけない」といいます。私たちは親子や夫婦、親しい友人との深い結びつきから、社会の中で出会うさまざまな人々との関わりまで、実に多くの「つながり」の中で互いに助け合い、支え合いながら生きているのです。

私たちは、胸の内に芽生える「温かい心」「優しい思い」を、日常にどれほど生かすことができているでしょうか。

私たちが他者への温かい心を大きく育て、〝喜びや安心、満足を与えたい〟という志を言動に表したとき、それは、どれほどささやかな行為であっても、きっと相手の心に響きます。そこで生まれたぬくもりは周囲にも波及して、よりよい社会を築く原動力となっていくことでしょう。そこにこそ、私たち自身の喜びに満ちた人生が開かれていくのです。

（五〇〇号）

6月

21日　体験を通じて培う「感謝の心」

高知県のある小学校では、子供の好き嫌いをなくすために、近くの農家の協力を得てお米づくりを体験させたほか、校庭の一部を菜園にして二十数種類の野菜を栽培しています。これを給食に利用した結果、子供たちは自分の育てた野菜が入った給食を、先を争って食べるようになりました。また、学校での態度も落ち着いてきました。この体験から「育てる喜び」を知り、自然の恵みや「食」に関わるさまざまな人々への感謝の気持ちが、自然に培《つちか》われたのです。これに勝る「食育」はないでしょう。

私たちのいのちは、自然のいのちをいただくことで維持されています。いただいたいのちに感謝し、それをよりよく生かすための「ひと手間」を惜しまない――。そうした丁寧な生き方に、健康で心豊かな生活を築いていく秘訣《ひけつ》があるのではないでしょうか。

（四五二号）

22日

結婚という「人生の節目」

結婚とは、男女二人が夫婦となって一つの家庭を築き、周囲の人々に認められ、社会の一員として暮らしていくことを意味します。それは、二人にとって人生の大きな節目であるだけでなく、「社会との縁を結ぶ儀式」でもあるのです。結婚式という「形」の面は時代と共に変化していますし、人それぞれの選択もあるでしょうが、こうした人生の節目を迎えるにあたっての「心」の側面は、いつの時代も大切に考えたいものです。

人は、一人で生きていくことはできません。結婚に限らず、私たちが人生において体験する通過儀礼はすべて、多くの支えを受けてこの日を迎えられたことに感謝し、その恩に報いていくことを誓い、同時に周囲の人々との絆《きずな》を確かめ合って、これからを心新たに生きていくための大切な節目といえます。

（五一九号）

23日 他に求めるより、まず足元を正す

学校の部活動や職場など、皆と協力して物事に取り組む場で、熱心さのあまり仲間と衝突したり、後輩への指導に熱が入って反発を受けたりした経験はないでしょうか。

私たちは、自分で「よいこと」「正しいこと」をしていると信じているとき、自分一人の価値観で物事を判断し、周囲への配慮を忘れてしまうことがあります。〝皆がこうしてくれればよいのに〟という思いが生まれたときは、まず、自分自身の足元から正していきましょう。相手を認め、相手の言葉に耳を傾け、相手を尊重することを心がけることで、自分自身の視野の狭さを乗り越え、より建設的で創造的な力を発揮できるようになるのではないでしょうか。また、みずからなすべきことを少しずつ、ひたむきに行おうとする姿勢は、周囲の共感を呼び、皆で一つのことを成し遂げるエネルギーを生み出していくことでしょう。

（五一六号）

24日

「馳走」の心

アメリカからホームステイを受け入れることになった福田さん一家。その女性、カルメンさんはベジタリアンで、肉や魚はもとより、卵や乳製品も食べられないとのことです。滞在中、お母さんは旬《しゅん》の野菜を食べてもらおうとこまめに買い物に出かけ、工夫を凝らして食事をつくりました。もちろん家族はそろって同じ料理を食べます。

カルメンさんは、ベジタリアンではない一家が自分に合わせてくれていたことに気づいたとき、申し訳ない気持ちになりました。するとお母さんが「うちでは家族は皆、同じ料理を食べるの。あなたも日本にいる間は家族なんだから、気にしなくていいのよ」と。カルメンさんの表情はパッと明るくなり、心からの感謝の言葉を述べました。

「馳走《ちそう》」とは、お客様をもてなす用意のために奔走《ほんそう》するという意味です。一家のもてなしは、カルメンさんにとってまさしく「馳走」といえるものだったのです。（四四八号）

6月

25日

「ありがとう」は「有り難い」

北京オリンピックで金メダルを手にした日本女子ソフトボールチームを陰で支えたメンタルトレーニングの第一人者・西田文郎《にしだふみお》氏は、「感謝」を能力開発に活用する独自の理論で知られており、「何事にもありがたいと思えば感情脳が『快』になり、落ち着いた気持ちでストレス要因を消去できる。感謝することでエネルギーが強まり、人間は力を発揮します」と述べています（『毎日新聞』平成二十二年二月十六日付夕刊）。

「ありがとう」は「有ることが難《かた》い」、つまり有ってほしいと望んでも有ることは稀《まれ》で貴重なことを示し、この「稀なこと」を喜び尊ぶ感情から、感謝を表す言葉として使われるようになったといわれます。私たちが「ありがとう」という言葉を口にするときは、心の中で相手の存在や相手がしてくれた行為を「有り難い」ものと認め、その貴重さに感謝してこそ、大きなエネルギーが生まれるのです。

（四八九号）

26日

すばらしい失敗

子供が何かに失敗したとき、親はその間違いを正そうとするあまり、状況を十分に把握することや子供の気持ちを察することなく、すぐに叱《しか》ったり、安易に手助けをしたりしてしまうことがあります。

子供が何かを試みて、課題を乗り越えようとしたときの失敗は「すばらしい失敗」なのです。だからこそ、肯定的な言葉をかけることが大切です。その失敗の中にも、わずかにでも成長している部分があるかもしれません。それを見逃さないためにも、親は子供を見つめる確かな目を養っておきたいものです。

子供は、たとえ些細《ささい》なことでも共感され、努力が認められれば、新たな意欲が湧《わ》いてくることでしょう。そうなってこそ、その「失敗体験」が生きてくるのではないでしょうか。

（四二三号）

6月

27日

一人ひとりがつくる「温かい家庭」

親子の心を育て、家族の絆《きずな》を深める場は「家庭」にあります。そして、家庭の温度を高め、家族の幸せを築いていくためには、当事者である家族一人ひとりが力を合わせていくしかありません。

そのために、私たちにできることを考えてみると、「明るい挨拶を心がける」「肯定的な言葉を多く使う」「みんなで食卓を囲む機会を持つ」「朝、家族と握手をして出かける」「子供の話に耳を傾ける」「家族の長所を見つけ、褒《ほ》める」「子供はお手伝いなどを通して、家族の一員としての役割を担う」「みんなで力を合わせて家の仕事や作業をする」……そのほかにも、まだたくさんありそうです。

一度、家族全員で話し合ってみてはいかがでしょうか。家族が集まって話し合う、そのこと自体が家庭の温度を上げることにつながっていくのです。

（四七二号）

28日

自分自身を高める逆転の発想

私たちは、自分にとって都合の悪いことが起こると、その原因を他人のせいにしがちです。そして、相手を心の中で責め、不平や不満を訴えます。しかし「相手は自分を映す鏡」ととらえると、自分の不十分さや未熟さ、反省すべき点などを、誰よりもよく教えてくれる存在だと受けとめることができるのではないでしょうか。

私たちは物事が順調に進んでいるとき、自分の行動や考えを見直したり、反省したりすることはありません。ですから悩みや葛藤《かっとう》が生じたときこそ、自分を省みるチャンスであり、自分の成長のための新たな一歩を踏み出すチャンスなのです。

「苦手な人は、自分の心を磨き高めてくれる恩人である」という考え方は、私たちの人間関係をよりいっそう豊かにし、自分自身を高める「逆転の発想」といえるでしょう。

（四五九号）

6月

29日　人の「思い」に心を向ける

私たちが相手の思いを受けとめることができるようになるためには、何かきっかけが必要なようです。そのきっかけは、人によってさまざまです。

それは子供に起こるさまざまな問題や、自分自身の人生の転機といえるような、大きな出来事かもしれません。また、特別な出来事がなくても、日々の自分の心を見つめ直すことで、相手の思いを受けとめるきっかけを得ることもあります。いずれにしても、そのきっかけをどう受けとめるかは、自分自身の心次第です。

相手の思いを受けとめる心を失っているときは、自分の思いにとらわれすぎていることが多いものです。私たちは、自分のことだけに目を向けるのではなく、心を大きく開いて、他の人の思いに心を向ける努力が大切です。そうすることで、自分自身も喜びを見いだすことができ、心豊かな日々を送ることができるのです。

（三七六号）

30日

「祈り」が人生を豊かにする

日本語の「いのり」という言葉の語源は、「生宣《いの》り」だと解釈されています。人生にはいろいろな悩みや難問が待ち受けていますが、「自分はめげずに頑張って生きるぞ！」と宣言することが「祈り（生宣り）」といえます。自分に宣言をすることで、心は積極的に問題に向かっていけるようになるはずです。

また、一九一二年にノーベル生理学・医学賞を受賞したフランス人医師のアレクシス・カレル博士（一八七三〜一九四四）は、「祈る人たちの間には、義務と責任の感情があり、嫉妬《しっと》と意地悪さは弱まり、他人に対する善意が見られるのが特徴である」と述べています（『ルルドへの旅・祈り』春秋社）。自分のために祈るだけでなく、人の幸せのために祈り、大自然への感謝の気持ちを込めて祈る——そうした習慣を持つことで、いっそう心豊かな人生を歩むことができるのではないでしょうか。

（四九〇号）

6月

7月

1日 自分の「いのち」を支える人たちは……

私たち一人ひとりには、自分を生み育ててくれた両親があるように、父親と母親にもそれぞれに両親（自分にとっての祖父母）があり、その祖父母にもまた両親（自分にとっての曾祖父母《そうそふぼ》）があります。ここまで数えただけでも、父母・祖父母・曾祖父母の合計で、少なくとも十四人が自分の「いのち」を支えていることになるでしょう。そして、三十代さかのぼると、計算上は累計で二十一億人を超える祖先が、自分の「いのち」をつなぐために存在していたことになります。

私たちは、数限りない祖先から「いのち」を受け継ぐ存在であるとともに、これを子孫へとつなぐ使命をも帯びています。そうした「自分の生きる意味」を自覚することによって、自分がかけがえのない存在であることに気づき、強くたくましく生きていくことができるのではないでしょうか。

（平成二十四年家族のきずなキャンペーン特別号）

2日 心の新陳代謝

江戸時代の儒学者・佐藤一斎《さとういっさい》（一七七二～一八五九）は、「少《わか》くして学べば、則《すなわ》ち壮《そう》にして為す有り。壮にして学べば、則ち老《お》ゆとも衰えず。老いて学べば、則ち死すとも朽《く》ちず」（『言志晩録』）と言っています。

若いときに学べば、壮年期を迎えたときに効果が出てくる。壮年期から学んでも遅くはなく、老年期の活力となる。そして老年期から学ぶことにも大きな価値があり、後世の人に大きな影響を与えることもできる――。

世の中は今、めまぐるしく変化しています。私たちの体の細胞が、毎日の食事から得る栄養によっていつも新陳代謝して新しくなっているように、若い世代からも学びつつ、常に新しい知識を得て新陳代謝していくことは、私たちがいつまでも若々しく柔軟な心を保つための秘訣《ひけつ》といえるかもしれません。

（二九六号）

3日　「よいこと」をするときの心づかい

経営者のHさんは最近、始業前に工場周辺の歩道を掃除するようになりました。「社長が人間性を高める努力をすると社風がよくなり、社員にも活力が生まれる」という話を聞いて、思い立ったのです。ところが二週間後、Hさんは掃除を手伝おうとしない社員たちに対し、いらだちを募らせるようになっていました。社員は社員で「これ見よがしにやられると、息苦しいよな」と、陰で言い合っているようです。

「よいこと」をするとき、私たちは心に何を思うでしょうか。感謝されたい、賞賛されたい、認められたい……。ともすると、そんな見返りを期待しているかもしれません。しかし、そうした胸算用で「よいこと」を行うのと、「相手や周囲のため」を純粋に思ってするのとでは、心のあり方がまるで違います。それが自分の人間性を高めるか否か、周囲に喜びをもたらせるか否かの分かれ目ではないでしょうか。（四四六号）

4日

「おはなし」から生まれる親子のふれあい

夜寝る前、子供たちに絵本の読み聞かせや、自分が創作した「おはなし」をしているというご家庭もあるのではないでしょうか。それは、日常のささやかな行為の一つといえます。また、「おはなし」は思いつきの創作話ですから、いってみれば、まったくばかげた話になるかもしれません。しかし親が語り、子供たちが聞き入り、家族で「おはなし」を共有するうちに、親と子の間に心のつながりが生まれてくるのです。

こうした親子のふれあいの機会は、心にゆとりがあれば、日常生活の至るところに発見できます。忙しい毎日の中で起こる出来事を、つまらないことと考えて見過ごせばそれまでですが、その中に「親子のふれあい」や「家族の絆《きずな》」という価値と意味を見いだすことで、些細《ささい》な出来事が光り輝き、家庭を温かくすることに役立っていくのです。それは、私たちの心の持ち方一つであるといってよいでしょう。

（四七二号）

5日 「ありがとう」を言って見えてくるもの

子育てを終えて肩の荷が下りた矢先、夫が病に倒れたという主婦のYさん(52歳)。療養中の夫を支える日々の中で、人生を心豊かに生きる秘訣《ひけつ》に気づいたといいます。

「夫は、私が何かをしてあげると必ず『ありがとう』と言うんです。その影響で、私も食事をつくらせてもらって『ありがとう』、体をふかせてもらって『ありがとう』と言うようになりました。ありがとうを言っているうちに、ありがたいことがどんどん見えてくるんです。例えば、夫や子供がいてくれてありがたいなあ。朝、目が覚めた、ありがたいなあ。ご飯が食べられる、ありがたいなあ……。それまで当たり前すぎて見えなかった、たくさんの恵みに気づいたんです。おかげで毎日が楽しいですよ」

これは心がけ一つで、いつでもどこでも実践できることではないでしょうか。日々、一回でも多くの「ありがとう」を、心の中でつぶやいてみませんか。

(四〇〇号)

6日

「やわらかな心」が見方を変える

「手際が悪い」と思える人も、見方を変えれば「慎重な人」といえるかもしれません。また、「おせっかいな人」は「面倒見がよい人」、「不平不満が多い」は「批判力に富む」、「頑固、強情である」は「意志が強い、根性がある」ともとらえることができるでしょう。

〝あの人はこうだから……〟〝それはこうに決まっている〟そう思ったときこそ、ひと呼吸置いて、謙虚に一歩下がるつもりで考え直してみましょう。

車のスピードを緩めれば運転する人の視野が広くなるものです。同様に、人や物事を多面的に正しくとらえるためには、時に立ち止まって〝待てよ、こういう見方もできるかもしれない〟と思いをめぐらす「やわらかな心」が大切なのです。

(四三六号)

7日 三人の石工

ある旅人が、建築現場で働く三人の石工《いしく》に「今、何をしているのか」と尋ねると、一人目の石工は「親方から言われて石を切っている」と言いました。また、二人目の石工は「家族を養うために城壁の石を切っている」と。そして、三人目の石工は「この地域でいちばん立派な城壁をつくるために石を切っている」と答えました。

自分の仕事の目的をどのように理解するかによって、仕事に対する意識は変わります。また、自分が仕事に心を込めた分だけ、その努力が実ったときには大きな喜びを感じられるはずです。

たとえ当初は不本意に思えた仕事でも、その仕事と真摯《しんし》に向き合い、心を込めて、ひたむきな努力を続けていく中で、喜びが見いだされてくることもあるのではないでしょうか。

（四九四号）

8日　思いやりの心を積み重ねる

中国の思想家・孔子は、弟子の子貢《しこう》から次のような質問を受けました。

「たったひと言で言い表せて、しかもそれを一生涯行っていけるような言葉があるでしょうか」

それに対して、孔子はこう答えたといいます。

「それは恕《じょ》（思いやり）であろうか。思いやりというのは、自分が他人からそうしてほしくないと思うことを、人にもしてはいけないということである」（『論語』衛霊公篇）

毎日をどのような心づかいで生きていくか。その一日一日の積み重ねが、私たちの人間性をつくり上げていきます。よい心づかいの積み重ねが、よい人柄を生むのです。心のアンテナの感度を少し上げて、一つの思いや一つの行いの中にも、慈愛に満ちた思いやりの心を、しっかりとはたらかせるように努めたいものです。

（四六一号）

7月

9日 チーム・ジャパンに見る「和」

聖徳太子は、十七条憲法の第一条に「和を以《もっ》て貴《とうと》しと為す」（互いに和を大切にして、人と争わないようにしなさい）と述べています。当時、さまざまな利害のもとに争い合っていた豪族たちをまとめて、天皇を中心とした秩序ある国をつくるために、この「和」という精神が国づくりの根底に置かれたのです。日本人は古来、この精神を大切にしてきました。

「和」の精神は、近年のスポーツの国際試合に見られる「チーム・ジャパン」からも感じ取ることができます。ふだんは異なるチームで活躍している選手たちが〝ジャパン〟という一つのチームのために切磋琢磨《せっさたくま》し、それぞれの役割を考えて協力していくことで、大きな力が生まれるのです。「和」の精神を持って結束する姿は、私たちにその大切さを再認識させてくれるのではないでしょうか。

（五〇四号）

10日

贈り物に込められた思いに気づく

お中元やお歳暮、年賀やその他の季節の挨拶など、私たちはお世話になっている人や身近な人との間で、手土産や贈り物を渡したり受け取ったりする機会があります。私たちはそれらを受け取るとき、贈り物を「いただく」と言います。そこには、単に「物」を受け取るのではなく、「物の後ろにある、相手の気づかいや思いやりの心」を受け取るという意味が込められています。つまり、相手や物に敬意と感謝を込めて「押《お》し戴《いただ》く」ことでもあるのです。

贈り物をいただくとき、〝相手の気持ちを受け取る〟ということを意識すると、人間関係は円滑になり、お互いに喜びを得ることができます。豊かな社会になった今日こそ、いただき物の後ろにその人の思いやりの心があるということを常に思い浮かべ、感謝して受け取りたいものです。

（四八〇号）

7月

11日

「心の歩調」を合わせる

責任感が強く、何事もてきぱきと片付けなければ気が済まない性格の吉田さん。休日に家族で遊園地に行くときも、少しでも効率よく、たくさん遊べるようにと考えます。観覧車やジェットコースター等に次々乗り、お昼をゆっくり食べる時間もないほど遊んで帰宅すると、奥さんも子供もぐったりしていました。そうしたことが続くうちに、家族は「お父さんと一緒に出かけると、疲れておもしろくない」と……。

相手を思うということは、相手に歩調を合わせることではないでしょうか。忙しい毎日の中でこそ、急がず慌てず、周囲の状況をよく見ることを心がけていきたいものです。相手と「心の歩調」を合わせることで、心と心が通い合い、お互いに喜びを見いだすことができます。また、急がなくなった分だけ自分の心にゆとりが生まれ、イライラすることも少なくなっていくでしょう。

（三七〇号）

12日

道徳と経済は一体である

人間の生活は、衣食住をはじめとして、何をするにも経済と切り離して考えることはできません。その意味で、人間生活は経済生活であるともいえます。

経済を動かすものは人の心です。企業活動に必要な知識や技術、物やお金、情報なども、これを運用する人の心次第で、よいことにも悪いことにも使用できます。ですから、心づかいと行いの標準を示す「道徳」は、個人にだけ求められるものではありません。企業も道徳心があってこそ、真に人の幸せに役立つことができるのです。

企業の道徳心とは、これを構成する人々の道徳心の総体であり、取引の方法や接客の態度、商品の質など、企業活動のすべての面に表れてきます。道徳という基盤の上に経済を築き上げる「道徳経済一体」の考え方に基づいて、常に自社の道徳性を省みるとともに、一人ひとりの道徳性を高める努力をしていきたいものです。　（二三〇号）

7月

13日 七度探して人を疑え

「七度《ななたび》探して人を疑え」という諺《ことわざ》があります。物が見当たらなくなったとき、軽々しく周りの人を疑ってはならないという戒めです。みずからの軽率さや、自分を省みないことに対して自戒を促すため、先人はこの諺を残したのでしょう。

人は自分にトラブルが起こった場合、自分を省みることなく、まず他人や周囲にその原因を求める傾向があります。物事が自分の思うように運ばなかったり、困難な問題に直面して心のゆとりを失ったりしたときに〝自分は絶対に悪くない〟〝相手の責任だ〟という思いを味わった経験は、多くの人にあるのではないでしょうか。

私たちは強い思い込みにとらわれると、視野が極端に狭くなってしまうことがあります。自分勝手な思い込みから誤解を生み、人間関係を悪くしては残念なことです。問題が起きたときこそ立ち止まり、自分を冷静に客観視してみましょう。

（四七〇号）

14日 わずかな一歩の集積

二〇〇九年、アメリカ大リーグで九年連続二百本安打、メジャー通算二千本安打という大記録を達成したイチロー外野手は、「今自分にできること。頑張ればできそうなこと。そういう積み重ねをしていかないと、遠くの大きな目標は近づいてこない」と述べています。

「千里《せんり》の道も一歩から」「涓滴《けんてき》岩を穿《うが》つ」といいます。どれほど遠大な行程も、わずかな一歩の集積です。また、したたり落ちる一滴一滴の水も、延々と落ち続ければ岩にも穴を開けるものです。

イチロー選手のような大記録ということではなくても、私たちはそれぞれに何かしらの目標を持ち、そこに向かって一歩ずつ歩んでいくことが大事なのではないでしょうか。その一歩一歩の中に、生きがいや喜びが存在しているのです。

（四八七号）

15日

祖先と心を通わせる

お墓や仏壇に向かって祖先に手を合わせるという光景は、長く受け継がれてきた日本人の慣習です。しかし、時代や社会が大きく変化する中では、従来と同じような形で祖先を祀《まつ》っていくことは難しく感じられる場合もあるでしょう。

祖先を祀ることとは、祖先のためだけでなく、今を生きている私たちにとっても大きな意味のあることです。仏壇やお墓といった具体的なものに向き合うことで、私たちは直接会ったことのない多くの祖先たちとの時代を超えた「つながり」を感じ、今、自分がここに存在することの意味を強く意識することができるのです。

祖先祭祀《さいし》の形式は、時と共に変わっていく部分もありますが、何より大切なことは祖先を敬い、祖先に感謝するという気持ちを持ち続けることではないでしょうか。「祖先と心を通わせる」ということに意識を向けていきたいものです。

（四九二号）

16日 自信を持って誠実に生きよう

仕事にも生き方にも誠実さがにじみ出る人々に、私たちは敬意を感じるものです。それは私たち自身が自覚していなくても、日本人として持っている資質だからではないでしょうか。

日本人は昔から高い道徳性を身につけ、それを受け継いできました。仕事に対する精勤さや、正直などの誠実さは、時代が変わっても変わることのない大切な価値です。私たちは先人から受け継いだこうした美徳を、さらに次の世代に引き渡していく必要があります。そのために大切なことは、何より職場や家庭における日常生活に自信を持って、確かな歩みを続けていくことではないでしょうか。

私たち一人ひとりが誠実な生き方をめざし、人々を大切にしていけば、必ず信頼と喜びに満ちた社会が実現していくことでしょう。

（四六〇号）

17日

喜びを生み出す力

喜びを感じ、喜びを生み出す力は、誰もが平等に持っています。違いを生むのは、自分の心にそうした力があることに気づくか気づかないかという点でしょう。

もし自分の中に〝どうせ私にはできない〟と考える癖があるのなら、これを〝きっと私にはできる〟という考え方に変えてみましょう。また〝あの人は何もしてくれない〟と考えるのをやめて、〝何か私にできることはないか〟と考えてみましょう。すると、悩みや怒りなどの不快な感情ではなく、喜びや楽しみなどの幸せな感情が生まれてくることに気づくでしょう。

物事を幸せな感情でとらえ、いつも生き生きと喜びの中で生きている人の周りには、自然と多くの人が集まります。それは、自分の中に生まれた喜びを自己満足に留め置くことなく、周囲の人と分かち合おうとしているからではないでしょうか。（三二〇号）

18日

家族は運命共同体

家族の絆《きずな》を育むということは、家族一人ひとりを意識し、大切にすることから始まります。夫婦、親子、祖父母、きょうだいは、最も身近で日常的な人間関係です。ふだん一緒に生活をしているからこそ、意識して目を向けると、そこには楽しいことやうれしいこともたくさん見つかるのではないでしょうか。

一人の喜びは家族の皆の喜びとなり、家族の皆が喜ぶことで、その喜びが二倍にも三倍にも大きくなります。また、一人の苦しみや悲しみは、家族全員の苦しみや悲しみとなります。しかし、その困難を家族の皆で分かち合うことで、力強く乗り越えていくこともできます。まさに、家族は「運命共同体」なのです。たくさんの喜びや悲しみを家族で共有することで、〝私は家族と共に生きている〟という実感が生まれてくることでしょう。

（平成二十年家族のきずなキャンペーン特別号）

19日

「ありがとう」を頻繁に

東海大学医学部精神科の保坂《ほさか》隆《たかし》教授は、感謝の気持ちを表す「ありがとう」はお互いを心地よくする魔法のような言葉であるとして、次のように述べています。

「エレベーターがちょうど閉まりかかっていた。息せききって駆け込んできたあなたを見て、誰かが『開』ボタンを押して、あなたが乗るのを待ってくれた。こんなとき、『あ、すみません』といっていないだろうか。（中略）『すみません』は、『気遣いさせてしまって申し訳ない』というネガティブな感情になるが、『ありがとう』ならば、『待っていてくれて、本当にうれしいです』とぐっとポジティブな感情が湧《わ》き出てくる」（『平常心』中公新書ラクレ）

「感謝の種」は、私たちの日常に数多く存在します。家庭や職場、社会の中で受けているさまざまな支えに対して、積極的に感謝の心を表してみませんか。（四八二号）

20日

「地球」という恩恵に感謝する

地球温暖化による気温の上昇や、降水量の変化などによって、生態系も影響を受けます。しかし、目に見える変化は今すぐにではなく、数年や数十年、数百年後に起こります。現在生きている私たちがうっかりしていると、子供や孫の時代に重大な結果をもたらすことになります。

私たちを取り巻く自然環境は、物質を循環させることで絶妙なバランスを保ってきました。私たちは、これまで享受してきた自然からの恩恵を感じて、地球という限られた資源の中で生かされて生きていることに対する深い「感謝の心」を持たなければなりません。そして、その心を具体的な形に表すために、たとえ小さなことであっても、自分にできる取り組みを続けていくことが、環境問題解決への第一歩となるのではないでしょうか。

（四三二号）

7月

21日

「思い出」は生きてきた証

思い出とは、自分が生きてきたことの証《あかし》であり、自分の尊厳に結びつくものです。お年寄りにとって、いちばんの財産は、これまでの人生で築いてきた思い出といえるのではないでしょうか。それは子供のころの思い出や、青春時代の思い出、仕事やライフワークにまつわる思い出、結婚式の思い出、子供との思い出、友人・知人との思い出など、悲喜こもごもの思いが詰まった、大切な歩みでしょう。

お年寄りはこれらをゆったりと語りながら、自分の歩んできた道に思いを馳《は》せるのです。こうした話を聞くことは、その人の生き方を知ることであり、その人のいのちの鼓動を聞いているといってもよいでしょう。その中には、話を聞く若い世代が体験し得ない出来事も多々あるはずです。話を聞く側も、そこから元気と勇気、そして生きていくうえでの励みを得ることでしょう。

（平成二十一年全国敬老キャンペーン特別号）

22日

「よかれ」という思い込み

ある平日の朝。会社員の昌史さん（29歳）は、手首を痛めている奥さんを気づかって、夫婦二人分の朝食を準備することにしました。一人暮らしの経験もある昌史さんは、簡単な料理はお手の物。〝気づかれないうちに手づくりの朝食を並べておいて、驚かせてやろう〟とも思ったのです。ところが、食事を終えるころには出勤の時間が迫っています。結局、食器の片付けは奥さんに頼むことになってしまったのでした。

人のためによかれと思ってすることも、〝こうすれば相手は喜ぶはず〟という思い込みや〝相手によく思われたい〟という自分本位の考えで推し進めるのでは、よい結果につながらないことがあります。相手の立場を心から思い、どうするのがいちばんよいかという想像力を広く深くはたらかせたとき、はじめて本当の「思いやりに満ちた行為」となり、自他共に喜びを感じることができるのではないでしょうか。（五一二号）

7月

23日 宛名書き一つにも心を込める

手紙の魅力や書き方について多くの著作があるエッセイストの清川妙《きよかわたえ》さんは、次のように述べています。

「気働きというのは、相手の状態、心理をよくわかった上で、その人の側にまわりこんで考え、行動すること。やさしさの片鱗《へんりん》がチラとこぼれ落ちるとき、相手はそれにうたれるのです」（『今日から自分磨き』清流出版）

家庭や学校、職場、地域社会などの人間関係の中に心と心が通い合う豊かなコミュニケーションが生まれるとき、喜びの多い人生が開かれていきます。メールも手紙もコミュニケーション手段の一つですが、単なる道具（ツール）としてとらえるのではなく、件名や宛名書き一つにも、相手への思いやりの心を込めて認《したた》めることを心がけたいものです。その積み重ねが、自分自身の心を育てていくことでしょう。（四六九号）

24日

「成長しようとする力」を信じる

子供が初めて料理に挑戦したいと言ったとき、皆さんはどんな言葉をかけるでしょうか。「危ないから触っちゃだめ」「なんでもやってみなさい」……。

子供が失敗したときや、壁にぶつかって苦しんでいるとき、大切なのは親の態度です。親の信頼や応援を実感している子供は、失敗を素直に受け入れて、その体験から学び、挫折《ざせつ》を乗り越える力を身につけていきます。「だからだめだと言ったでしょう」などと言ってその行動を否定しては、子供のやる気を失わせてしまいます。

親は子供の失敗を否定的にとらえるのではなく、成長過程に必要な体験であると考えてみることです。子供の取り組みをまず認め、焦らずに、子供自身が持っている「成長しようとする力」を信じて、じっと待つことも大切ではないでしょうか。それは、子供が「挑戦することの意味」を見いだすためにも必要なことなのです。

（四二三号）

7月

25日

窓が一枚割れていると……

使われなくなったビルの窓が一枚割れていると、ほかの窓を割ることにも抵抗が薄くなるものです。また、これが補修されないままだと、「このビルは誰からも管理されていない」というサインになって、自然と非行少年たちが集まって犯罪の温床となり、その地域で犯罪が増加するのです。これを社会学では「破《わ》れ窓理論」といって、犯罪防止のためには、最初の小さなきっかけをつくらないことが大切であると考えます。

きれいに整備された道にゴミを捨てることには心理的な抵抗があっても、少しゴミが目に付くようになると、何気なく捨ててしまう人が増えてくるでしょう。こうして少しずつゴミは増えていき、ゴミがたまればたまるほど心理的抵抗は弱まって、その結果、ゴミの山が生まれます。〝皆がやっていることだし、自分一人ぐらい大丈夫だろう〟という気持ちが、大きな問題を生むことになるのです。

（四〇二号）

26日 人生は自分の心がつくっている

ブッダの言葉に「ものごとは心にもとづき、心を主《あるじ》とし、心によってつくり出される。もし清らかな心で話したり行なったりするならば、福楽はその人につき従う」（『ブッダの真理のことば 感興のことば』岩波文庫）とあります。

私たちが日常に経験する不愉快な思いは、自分の考え方や感じ方、あるいはそのときの気分から生まれるものであり、出会う相手や出来事そのものから生まれてくるわけではありません。日々の生活の中で、何を大切に思い、何に心を動かし、どのように判断するか。それらはすべて、自分の心が決めているのではないでしょうか。

人間関係における悩みや不平・不満も、実は自分の心がつくり出していると考えてみると、その悩みから抜け出す糸口がつかめるかもしれません。自分の心を見つめ、みずからを深く省みることが、新たな自分を築く第一歩となります。

（四三〇号）

7月

27日

悲しむ心に関わるとき

上智大学グリーフケア研究所の髙木慶子《たかきよしこ》教授は、「悲しむ心に関わろうとするならば、真っ先に考えなければならないのはケアのノウハウではなく、自分が関わろうとしている相手が何を必要としているかということでしょう。（中略）苦しんでいる人の力になりたいと思ったときは、『力になりますよ』と一方的に相手の胸の内に飛び込んでいくのではなく、『あなたの悲しみに寄り添うことを許していただけますか？』と、最初におことわりしたほうがいいでしょう」（『悲しんでいい』NHK出版新書）と述べています。

人が深い苦悩のただ中にあるとき、不用意な助言や励ましは、かえって相手の心を傷つけるものです。必要なことは、何より相手の立場に立って考え、その発する言葉とその元にある心の声に、謙虚に耳を傾けることなのでしょう。また、そうした姿勢で人と関わっていく中で、自分自身の心も磨かれていくのです。

（五〇九号）

28日

親の姿の奥にある心を知る

親と子の関わりの中では、時に子の立場から親の言葉や行動を批判したくなることがあるかもしれません。

親といえども欠点や短所、弱点を持つ人間ですから、失敗や間違いはあります。私たちはそうした目に映る形にとらわれ、その奥にある親心には気づきにくいものです。ましして親が元気に暮らしているときは、親の尊さ自体にも、なかなか気づかないのではないでしょうか。

親は、常に子供の先行きを心配しています。子の幸せを願う親心を知り、親の心の尊さを理解するとき、私たちは体の中に温かい力が湧《わ》き起こるのを感じます。そうした実感は、人生を送るうえで、私たちの心の大きな支えになるに違いありません。

（三八四号）

7月

29日

「つながり」の再構築

かつての日本の地域社会では、自分の子である、なしに関わらず、子供たちが悪いことをすれば大人たちは必ず注意をし、危険がないように見守るという、地域の連帯感や教育力がありました。こうした地域の「つながり」を取り戻すには、「自分や家族が幸せであればよい」といった狭い考えから抜け出して、「地域の人たちと共に、安心して暮らせる社会をつくる」という意識を培《つちか》うことが求められます。

そのためには、地域の人の顔が見えて安心できる、お互いに助け合える社会をつくることです。まず、朝夕の挨拶や声かけ、清掃といった、身近にできることを行ってみませんか。こうした行為を積み重ねていくと、人と人との「つながり」は必ず生まれてくるものです。それが地域の子供たちを見守り、育てることにもつながっていくのではないでしょうか。

(四六二号)

30日

受け継ぎたい「日本人の心」

三十年前に日本人男性と結婚した、メキシコ出身の女性の話です。

「私が日本に来てすばらしいと思ったのは、〝子供が大人を尊敬している〟と感じたこと。自分の親を大切にするし、言われたことはきちんと守る。食事のときも、お茶《ちゃ》碗《わん》を持って食べる、箸《はし》を正しく持つ、迷い箸はしないなど、いろいろなことを教えるでしょう。そういう中で、日本の文化は受け継がれてきたんじゃないかしら。私も自分の娘には『大人を尊敬するように』と言って聞かせてきたのよ」

ふだんの暮らしの中で、私たちが「日本のよさ」を意識することは、さほどないでしょう。しかし、意識しないことで忘れられていく「日本の文化」や「日本人の心」があるとしたら、残念なことです。正直、勤勉、礼節、孝行、他者への思いやり……。先人が守り続けてきたその心を、大切に受け継いでいきたいものです。

（四八八号）

31日 今、ここから始まる

「直面する困難を自分のなかでどうとらえるか、そのとらえかた次第で私たちの生きかたは大きく変わってきます。（中略）その境遇にいつまでもこだわるのではなく、『ここから始まるのだ』ととらえ直すことができれば、私たちはかならず前進できます」

これは、百歳を越えた今でも現役の医師として活躍している日野原重明《ひのはらしげあき》氏の言葉です（『続 生きかた上手』ユーリーグ）。

ひとたび生じてしまった事態を「なかったもの」とすることはできませんが、事態の受けとめ方やその後の対応は、当人の心次第です。つらい体験も含めて、日々の出来事すべてを正面から受けとめ、常に「今、ここから始まるのだ」という心構えで前向きに歩んでいくことができれば、私たちの人生は、喜びや希望に満ちていくことでしょう。

（五一七号）

8月

1日 身近な伝統に目を向けよう

長い歴史を経《へ》て、私たちの家庭生活の中に根づいてきた風習や儀礼などの年中行事をよく見つめ直してみると、それらの多くには「親と子の絆《きずな》を深める」「自然とのつながりに気づき、感謝する」「地域とのつながりを大切にする」など、先人たちのよき生き方や考え方が表れています。文化とは、先人が後世に遺《のこ》した目には見えない「心の遺産」です。今を生きる大人が、こうした「心の遺産」を忘れてしまっては、子供たちの心の成長にさまざまな影響を与えるのではないでしょうか。

親の生き方は、日々の家庭生活の中で、知らず知らずのうちに継承されていきます。それが家庭の文化といわれるものでしょう。

子供の心の成長にとって大切な家庭環境をよりよくしていくためにも、まずは身近にあるよき伝統に目を向けて、先人たちの心を汲《く》みとっていきませんか。（三九八号）

2日

「親の愛」に気づくとき

大学生のTさんは、半年間のイギリス留学を終えて帰国するとき、異国育ちの自分を大きな愛情をもって迎え入れてくれたホストファミリーの夫妻に、感謝の気持ちを伝えました。すると「あなたの日本の両親とは比べものにならないけれど、私たちもあなたのことがとても大切なのだ」という言葉が返ってきました。

このひと言は、Tさんの心を打ちました。二人が自分に向けてくれる思いの深さを知っただけでなく、それまで当然のように受けてきた〝自分の両親の自分への愛情〟にも気づかされたからです。Tさんは今、当時を振り返ってこう述べています。

「新しいことを吸収する喜びばかりが前に出て、自分一人で成長しているかのような錯覚に陥りがちだった私が〝周りの人の支えがあって自分があるのだ〟と感謝できるようになったのは、夫妻の愛情に触れたことがきっかけだったと思います」（五一三号）

8月

3日 「腹八分」は企業永続の秘訣

モラロジー（道徳科学）の創建者・廣池千九郎《ひろいけちくろう》（法学博士、一八六六～一九三八）は、「鶴が千年の寿命を保つのは、腹八分目に食うからじゃ。経営者は急進的な繁栄を望まないで力相応、漸進的に進め」（改訂『廣池千九郎語録』モラロジー研究所）と語り、欲望のままに自己の力以上の事業に取り組むことを戒めたといいます。企業が永く繁栄していくためには、ゆとりある経営が必要であるということでしょう。こうした「腹八分」の人生訓は、日本で百年以上続いてきた老舗《しにせ》の家訓にも見られるものです。

暮らしや経営を「腹八分」に抑えて、そこで生まれた「二分のゆとり」を万一の備えとし、あるいは世のため、人のために役立てていく。そうして地道に徳を積み、世の信頼を積み上げてきたことにこそ、老舗が永く続いていく秘訣《ひけつ》があったのです。

（四七六号）

4日 自分でカレーをつくってみたら……

食育は、単に食に関する情報や知識を伝えるだけのものではありません。家庭や学校、地域の中で、実際にさまざまな体験を積むことによって、自然と食について学んでいくことが、本当の意味での食育になります。

例えば家庭の中で、子供たちにカレーづくりを任せてみたとしましょう。材料を同じような大きさに切りそろえ、炒《いた》めて煮込むという一連の作業は、子供たちにはなかなか大変なことです。多少の失敗はあるかもしれませんが、自分がつくったカレーはおいしいに違いありません。家族からも「おいしい」と評価されればうれしくなって、何度も挑戦する気持ちが湧《わ》いてきます。そのうちに自分なりの工夫を加えるようにもなるでしょう。何より、ふだんの食事をつくってくれる家族への感謝の気持ちも芽生えてくるのではないでしょうか。

（四五二号）

8月

5日　思いやりの「三方よし」

私たちには、自分中心に物事を判断する傾向があります。まずはそのことを自覚し、「自分だけの狭いものの見方・とらえ方」から一歩を踏み出して「周りの人や社会」に目を向け、周囲に喜びと満足を与えるにはどうしたらよいかについて、知恵をめぐらしてみてはいかがでしょうか。

人は一人で生きていくことはできません。どんな人も必ず人との関わりの中で、お互いに支え合いながら生きています。だからこそ家庭において、職場において、地域社会において、自分も相手も第三者も、共に喜びと満足を得ることができる「三方《さんぽう》よし」の生き方を求めていきたいものです。

身近な人だけでなく、周りの人たちも喜ぶことは、なんでしょうか……。その思いやりの心の積み重ねによって、きっと新たな世界が開かれていくでしょう。（四二四号）

6日 「希望」がもたらす力

第二次世界大戦中にナチスドイツに捕らえられて収容所に送られ、死の恐怖の中で九死に一生を得た精神科医フランクル（一九〇五～一九九七）は、収容所という極限状態に置かれた人間の様子を書き記しました。そこで生き続けることができた人々は、決して体が頑強であったためではなく、〝再び妻子に会う〟〝やりかけた仕事を完成させよう〟といった「希望」を持ち続けたことが、大きな要因であったといいます。

フランクルは「人間の自由とは、諸条件からの自由ではなくて、それら諸条件に対して自分のあり方を決める自由である」と述べ、これが他の動物とは異なる点であるといいます。人は、苦しみの中で相手に微笑《ほほえ》む「自由」も、また、どれほど恵まれた条件の中でも人を恨み、不平や不満を叫ぶ「自由」も持っています。

自分の置かれた状況をどう意味づけるかで、変わる何かがあるのです。

（四〇七号）

8月

7日

「老い」と仲よく付き合う

老眼鏡が手離せなくなったOさん（女性）は、お気に入りのメガネをいくつも持っているといいます。TPO（時・所・場合）に応じてメガネを替え、日ごろから「お洒落《しゃれ》」を楽しんでいるのです。また、少し耳が遠いというSさん（男性）は、「耳がよく聞こえないおかげで、人の悪口を聞かなくてもいいから、毎日心安らかに暮らせるよ」と、ユーモアたっぷりの表情で語ります。

私たちは、誰もが確実に年を取ります。若いころは心身共に元気で、多少無理をしても平気だった人も、年を重ねるにつれて徐々に体の無理が利かなくなります。そして、体の衰え以上に気をつけたいのが、心の衰えです。たとえ体は衰えても、心はいつまでも若々しくありたいものです。そのためには「老い」と仲よく付き合いながら、明るく前向きな気持ちで生きていくことが大切ではないでしょうか。

（四三三号）

8日

みんなが支える地域社会

ゴミの不法投棄やタクシー代わりの救急車の利用、図書館の本の切り抜きや書き込みなど、公共モラルの衰退がさまざまな形で指摘されることがあります。こうした問題の背景には、公共の利益よりもまず自分の利益を優先する意識や、共有物だから自分も自由に使う権利があるという、身勝手な論理があるのではないでしょうか。

もし、多くの人がこうした考えを持ったなら、とうてい社会を維持していくことはできません。公共のモラルや規範意識が社会を支えているからです。今、社会全体に公共心を取り戻し、一人ひとりが社会を支えていくという意識を持つ必要があります。

そこで、地域の問題に直面したときは、まずは自分にできることから始めてみましょう。近所の清掃活動など、小さなことでも構いません。そうした小さな一歩の積み重ねが、公共のモラルを高め、地域を変えていくことにつながるのです。（四七八号）

9日 与えられた「いのち」を生かす

松下幸之助氏（パナソニック創業者）は、自分の成功に関して「自分を存在させてくれたもの」に感謝しなければいけないと考えました。まずは両親のこと、その先につながる祖先のこと……と、次々にさかのぼって考えた末、「初めての人間を誕生させたもの」に思いを馳《は》せ、そこに宇宙の根源の力がはたらいているのではないかと考えついたといいます。そこには万物を生成発展させる（生み育てる）はたらきがあり、それが自然の理法であると考えたのです（参考＝江口克彦著『成功の法則』ＰＨＰ研究所）。

「生かされている」とは、私たちを大きな自然の力が後押ししてくれているということです。今ここに生かされていることに感謝し、毎日の生活の中で、あるいは仕事や学業などを通して「与えられたいのち」を生かすよう、自分にできることを誠実に行う。そうしてこそ、自分の生きる意味を見いだせるのではないでしょうか。（四六七号）

10日

自分の思うようになるものは……

私たちは、人と人とのつながりの中で家庭生活や社会生活を営んでいます。その中でよりよい人間関係を築いていくことによって、私たちは充実した人生を送ることができるのです。

ところが、そうした人と人とのつながりの中で、他人の心を自分の思うように扱ったり、変えていったりすることができるでしょうか……。それは夫婦や親子などの親しい間柄であっても、なかなかできることではありません。自分の思うようになるものといえば、それは自分自身の心しかないのです。よりよい人間関係を築くためには、この点を自覚したうえで、まず自分の心の質を高めていく努力が必要でしょう。

今よりもさらによりよい自分になるために、そしてよりよい社会を築いていくためにも、自分自身の心を見つめ直してみませんか。

（二七〇号）

11日

「子育ての喜び」を受け継ぐために

時代が変わるにつれて、子育ての方法も大きく変化しています。両親が中心となって愛情をかけていくという原則はいつの時代も変わりませんが、現実に孤独や不安を感じている人たちに対しては、周囲のサポートが必要になります。

子育てをした多くの人たちは、大変さの中にも喜びを見いだしています。子供の笑顔に癒《いや》された経験は、ほとんどの親にあるでしょう。また、家庭が明るくなる、生活に張りができる、自分の視野が広がるなど、子育てから得る喜びは少なくありません。

子育ての喜びや、いのちを受け継ぐことの大切さを、きちんと次の世代に伝えていく。そして、子育てに不安を感じる若い人たちに対しては、その気持ちを周囲がきちんと受けとめ、安心して子供を生み育てることができるようにサポートする——これも、一人ひとりが日常の中でできる少子化対策の一つではないでしょうか。（四四一号）

12日

大自然の絶妙なバランス

常に太陽光線を受けている地球。しかし、それによって地表の温度が上がり続けることはありません。地球は、太陽から受け取るのとほぼ同じ量のエネルギーを赤外線として宇宙空間に放出しているため、熱の収支バランスが取れているのです。

このとき放出された赤外線の一部は、大気中の二酸化炭素に吸収されて地表を暖めます。この温室効果といわれる現象によって、地表は平均十五度前後の温度に保たれています。もし二酸化炭素がまったく存在しなければ、地表はマイナス十八度になるといわれます。そして大気中の二酸化炭素が増えれば、それに吸収される赤外線の量が増え、温暖化が進みます。

こうした大自然の微妙なバランスのおかげで、私たちは生きています。同時に自分の生き方が地球環境に与える影響についても、慎重に考えたいものです。（四三二号）

8月

13日

「離見の見」

室町時代に能を大成させた世阿弥《ぜあみ》は、「離見の見《りけんのけん》」という言葉を残しています。

舞を舞う演者の観点を「我見《がけん》」といい、舞を見ている観客の観点を「離見」といいます。我見では、目の前や左右を見ることはできますが、自分の後ろ姿や自分の演じている姿は見えません。しかし離見では、演者には見えないところまで見ることができます。

世阿弥は、舞うためには我見だけでなく「離見の見」が必要であると説いています。つまり、演者は自分が見ているものだけでなく、観客の目を通して「演じている自分の姿」を客観的にとらえてこそ、芸を完成できるということでしょう。

私たちも「我見」によって物事を一方的に決めつけ、一面的に判断していることはないでしょうか。世阿弥の教えを人生の教訓として味わいたいものです。

（四七〇号）

14日

食事を通じたコミュニケーション

食事を共にするとは、「ただ同じテーブルについて食べる」という表面的なものではありません。家族がコミュニケーションを図る機会として大切に考えたいものです。食べることは、どの国の、どの文化においても「いのち」に関わる大切な営みです。血となり肉となるという栄養学的なこと以外にも、他の動植物の「いのち」をいただいていることに対する感謝の心を育んだり、料理に手間隙《てまひま》をかけてくれる人の愛情を感じたり、さらには心地よい食事の時間を通じて語り合うことで、心の交流を深めたりといったことが考えられるでしょう。

高価な素材を使ってごちそうをつくることだけに、意味があるのではありません。準備や後片付けなども含めて家族で共有する「時間」と「場所」に、大きな価値が生まれるのではないでしょうか。

（平成二十二年家族のきずなキャンペーン特別号）

8月

15日 祖先との「つながり」を感じる

中学二年生の武君は、両親、祖母との四人家族。夏休みの宿題をきっかけに、家族でおばあさんの子供のころからの思い出話を聞くことになりました。おばあさんの両親のこと。おばあさんが武君と同じ年のころは戦争中で、町が焼け野原になったこと。おじいさんとの馴《な》れ初《そ》め。武君のお父さんの小さいころのこと――。話を聞くうちに、武君は不思議な気持ちになったといいます。「うちは四人家族だと思っていたけれど、亡くなったおじいちゃんや、僕の知らないひいおじいちゃんやひいおばあちゃん、それにもっと前の人ともつながっているんだなあと思えてきて……」。

日ごろ、私たちは「親祖先のおかげで今の自分がある」という事実をあまり意識することはありません。しかし、その目に見えない絆《きずな》に気づくとき、ありがたさを感じるだけでなく、心に大きな安心感が広がっていくのではないでしょうか。　（四一九号）

16日　譲る心

車を運転していると、他の車を無理やり追い抜こうとする人がいます。そうした運転は、自分にとっても他人にとっても非常に危険ですし、仮に人身事故でも引き起こせば、取り返しがつかないことになります。

そこで「お先にどうぞ」と、相手に道を譲るようにすればどうでしょうか。それは一見、「相手のために自分が犠牲を払う行為」のようにも思えます。しかし、常に道を譲ることを心がける人は、会社に行くのにも少し早起きをして、時間に余裕を持って出かけるようになるでしょう。その心のゆとりが安全運転につながって、交通事故を未然に防げるとすれば、結果的に道を譲った本人が得をしていることになります。

譲る心を持つことは、他人のためだけでなく、自分自身を傷つけないためにも大切なのです。

（四五六号）

8月

17日

一人ひとりのモラルが社会を変える

子供たちは、家庭や社会の中で躾《しつけ》を受けるとともに、さまざまな経験を積むことで、善悪の基準を自分の心の中につくり上げ、自分を律していけるようになります。

「自分を律する」というと、私たちは自分の意欲を抑え込むとか、自分らしさがなくなると受け取りがちです。しかし、決してそうではありません。私たちは易《やす》きにつきやすく、周りの情勢に流されやすいからこそ、善悪の基準をきちんと持ち、それに基づいて自分で自分を律することによって、自分らしさをよりよく発揮できるのです。

「皆がやっているけれど、やってはいけないことはやらない」「皆はやっていないけれど、やるべきことはやる」という心の姿勢を養い、一人ひとりが努力を積み重ねていきましょう。それは子供たちにもよい影響を与え、社会全体をよりよい方向へと変える力になっていくのではないでしょうか。

（四〇二号）

18日

「世代間のつながりの場」をつくろう

多くの高齢者の言葉や態度には、長年の経験に裏打ちされた重みがあります。その「人が生きていくうえでの知恵」を、若い世代へと大切に受け継ぎたいものです。

例えば、自分が孫と同じ年齢のときには何をしていて、どんなことを考えていたかを語って伝えることは、孫にとって興味深いことでしょう。また、親の子供時代のことを語ってやれば、孫は親をより身近に感じることでしょう。祖父母は、孫世代と親世代とのよき橋渡し役にもなります。

インターネットや携帯電話などの利便性は日に日に増していく一方で、直接顔を合わせてのコミュニケーションが希薄になっている今日です。心の交流は、いっそう大切になってきます。ふだんから祖父母・親・孫という、世代間のつながりの場を、生活の中で意識してつくっておくことが大切でしょう。

（四〇九号）

8月

19日 言葉の力で広がる幸せの輪

感謝の言葉、勇気を与える言葉、励ます言葉、幸せを願う言葉、苦しみを和らげる言葉……。私たちは言葉に多くの思いを込めて、相手に伝えます。言葉の持つ力は、それを発する人の心によって大きく変わるのではないでしょうか。

世間では、汚い言葉や人の心を傷つける残酷な言葉を耳にすることもあるでしょう。しかし、私たちは人の幸せを願う、温かく優しい言葉を口にすることを心がけたいものです。きっと、その言葉を口にした自分自身が温かく、満ち足りた気持ちになれると思います。

日本は「言霊《ことだま》の幸《さきわ》う国（言霊が幸せをもたらす国）」です。古来、わが国の先人たちは「言葉には霊力が宿っていて、声に出して言った言葉は実現する」と信じてきました。言葉の力で、私たちの周りに大きな幸せの輪を広げていきましょう。

（四五三号）

20日 相手があって成り立つ仕事

私たちは、なんのために働くのでしょうか。会社のため、お金のため、家族のため、充実感を得るため、世のため、人のためなど、人によって理由はさまざまでしょう。

夏目《なつめ》漱石《そうせき》（一八六七〜一九一六）は、次のように述べています。

「己のためにするとか人のためにするとかいう見地からして職業を観察すると、職業というものは要するに人のためにするものだということに、どうしても根本義を置かなければなりません。人のためにする結果が己のためになるのだから、元はどうしても他人本位である」（「道楽と職業」）

仕事とは、相手があってはじめて成り立つものです。この一点について考えてみただけでも、まずは人の役に立つことを考えて他人本位に働くことが、結局は「自分自身のため」になるといえるのではないでしょうか。

（四二六号）

8月

21日

人間万事塞翁が馬

昔、中国の北方の砦《とりで》（塞《さい》）の近くで、一人の老人が息子と一緒に暮らしていました。あるとき、老人の飼っていた馬が逃げたので、周りの人たちは気の毒がりましたが、老人は泰然と構えていました。しばらくすると、逃げた馬が立派な馬を連れて帰ってきました。ところが周囲から「よかったですね」と言われても、老人はたいして喜ぶ様子もありません。さらにはある日、老人の息子がその馬から落ちてけがをします。周囲は気の毒がりますが、老人はやはり平然としていました。

その後戦争が起こり、戦場に出た村の若者たちは、ほとんどが戦死してしまいました。しかし、老人の息子はけがで兵役に就けなかったため、生き長らえたのです。

人間万事塞翁《ばんじさいおう》が馬です。一時の幸せや一時の不幸に一喜一憂することなく、その状況を心穏やかに受けとめ、揺るぎない歩みを続けていきたいものです。

（五一七号）

22日

自他共に輝く生き方

映画やドラマには主役がいて、脇役がいます。脇役がいることで主役が輝き、主役が輝くことで映画やドラマ全体が輝きます。人生という舞台では、主役と脇役は表裏一体の関係です。どちらも私たち自身の姿であり、大切な役割なのです。

家庭においては、夫を輝かせるのは妻であり、妻を輝かせるのは夫です。子供を輝かせるのは親であり、親もまた子供によって輝きます。職場にあっては上司を輝かせていくのは部下であり、部下を輝かせていくのは上司です。

私たちの人生は、他者と関わり合いながら生きていくものです。そうした中で、主体的に他者を輝かせようと努力する人は、自分自身も喜びを得ることになります。この生き方が「自分も他者も共に輝く生き方」につながっていくといえるのではないでしょうか。

（四〇五号）

8月

23日 気づいていますか？ 身近な「宝物」に

私たちはいろいろな欲求を持っていて、〝これが欲しい〟〝ああなりたい〟〝こうしてほしい〟と、いつも何かを求めています。しかし、求める心ばかりが強いと、今すでにあるものが見えなくなったり、今すでに持っているもののよさを忘れたりしてしまいます。人に対しても自分に対しても、ないものねだりをして嘆いたり、悲しんだり、愚痴をこぼしたりするよりも、身近なところにある「宝物」にもっと目を向けて、その一つ一つを丁寧に味わいたいものです。

妻が夫の、夫が妻の、親が子の、子が親の、上司が部下の、部下が上司の、「すでにある美点」を再発見し、これを忘れることなく凝視し続けていきましょう。そして自分自身をも見つめ直して、お互いが「かけがえのない宝物」であることに気づけば、毎日の生活は喜びに満ちていくことでしょう。

（三二二号）

24日

受け継ぎたい「知恵」と「心」

「経験は知恵の父、記憶は知恵の母」といわれます。長い時を生き抜いてきたお年寄りの「人生の先輩」としての知恵や、心がけてきた生き方には、これからの時代にも受け継ぐべき事柄が、数多く含まれています。例えば感謝の心、子供や孫への思い、物を大切にする心がけなど……。それらは、かつて先輩たち自身が、さらに上の世代である両親や祖父母、または身近に接してきた大人たちの生きる姿から、自然に学び取ってきたものなのでしょう。親から子へ、子から孫へと連綿と続いてきた「いのちのつながり」と同じように、私たちが生きる「今」の背後には、生き方や大切な心を代々伝えてきてくれた、数限りない「人生の先輩」たちが存在するのです。

私たちは、そうしたつながりの中に生きているという自覚を持ち、受け継いだものを次代へと大切に伝えていきたいものです。

（平成二十四年全国敬老キャンペーン特別号）

8月

25日

「明るく楽しい生活」のために

私たちは、誰もが健康で明るく楽しい日々、心豊かな人生を望んでいます。

そして、このような日々は決して日常からかけ離れた遠いユートピアにあるのではなく、日々の人と人との関わりの中にあるのです。

そうした中で、人を自分の思いに従わせようとしても、相手は従わないどころか、反対に自分の思いを押しつけてくるものです。すると、自分と相手の「身勝手」や「自分勝手」がぶつかり合い、人間関係がギクシャクするでしょう。これでは、明るく楽しい生活とはいえません。心豊かな人生を送るには、日常生活の中でよりよい人間関係を育んでいくことが大切です。相手を自分のことのように思う温かい思いやりの心など、一人ひとりの道徳的な心づかいが、人と人、心と心を結びつけ、よりよい社会を築く力にもなっていくのです。

（三一七号）

26日

「心の声」が聞こえますか

人は子供が誕生するとき、〝無事に生まれてほしい〟と、ただそれだけを祈ります。そして、無事に生まれたわが子を抱くと〝ああ、よかった〟という思いで心は満たされ、その後は「這《は》えば立て、立てば歩めの親心」というように、子供の成長を楽しみにしていくでしょう。しかし、子供に自我が芽生えるころから、親の気持ちにも変化が生じてきます。言うことを聞かないので感情的に怒ってしまう、躾《しつけ》がうまくいかずにイライラする、動作の遅い子供をせかしてしまう、等々……。

時には厳しい躾も必要になるでしょうが、そうしたときこそ親は自分の心をよく見つめなければなりません。子供は親の心を敏感に感じ取っているのです。親は子供の視線に立ち、子供が何を求めているかに思いをめぐらせる心の余裕を持ちたいものです。そうすれば、きっと子供の「心の声」が聞こえてくることでしょう。

（四一三号）

8月

27日

他者の過失も、自分を見つめ直す機会に

生じてしまった事態は、再び元に戻すことはできません。問題が生じたときは、そうした自覚に立ち、未来に向けて積極的に事態の改善に取り組むことが大切です。

これは、自分の過失によって生じた問題であれば、素直に自分の非を認め、深く反省して責任ある態度を取るということです。また、たとえ自分に非のない場合でも当事者を責めることなく、これを機に、日ごろの自分を見つめ直してみるのです。そうするうちに相手と心が通い合い、力を合わせて、解決と成長への確かな一歩を踏み出せるでしょう。

そうした謙虚さは、物事が順調に進んでいるときにこそ必要な姿勢でもあります。その心づかいの積み重ねによって、自分自身の人間性や創造力、粘り強く努力する力が高まり、周囲とも円滑な人間関係を築いていけるのではないでしょうか。（五〇七号）

28日

お互いさま、おかげさま

私たちは、互いに助け合い、支え合っていることを「お互いさま」という言葉で表現します。自分がお世話になっていることや、他人に奉仕することの大切さを自覚していたから、こうした丁寧な言い方をするようになったのでしょう。

また、周りにいる人だけでなく、すでに亡くなった人々や自然に対しても感謝の気持ちを表すために「おかげさま」といいます。「陰」とは陽《ひ》の当たらないところであり、目立たない、隠れているという意味です。直接自分の目で見たり、触れたりすることはできないけれど、生活を陰で支えてくれるものに対して「お陰」というのです。

「お互いさま」や「おかげさま」は、謙虚さや反省の心を引き出してくれる、大切な言葉です。毎日の生活の中でも、多くの人々に支えられていることに感謝し、折に触れてこれらの美しい言葉を思い起こしてみませんか。

（四六四号）

8月

29日 周囲の喜びは自分の幸せ

人は「幸せ」という人生の大目標に向かって、一人ひとりが一生懸命に生きています。ところが私たちは「自分の幸せ」を追い求めるあまり、つい他への配慮を忘れてしまうことがあります。そんなときは積極的に、みずから犠牲を払ってでも「周囲を喜ばせよう」という行動に踏み出していきたいものです。

「犠牲を払って」というと、なんだか損をするように感じられるかもしれません。しかし、周囲の喜びのために努力をしていけば、周りの人が「幸せ」になり、その幸せな人に囲まれている自分も「幸せ」になるのです。また、応援してくれる人もきっと現れるでしょう。「情けは人のためならず」「損して得取れ」と言われる所以《ゆえん》です。

大切なことは、心のベクトルを自分自身の「よい生活」に向けるのではなく、周りに喜びを与える「よい人生」に向けていくことなのです。

（四七五号）

30日

身は父母の遺体なり

私たちの父母が「一組の男女」として出会う確率から考えていくと、一人ひとりのいのちが誕生する確率は、奇跡に近いほど小さなものであるといえます。家庭とは、その貴重ないのちを育み、いのちをつないでいくという、たいへん神聖な場です。

中国の古典『礼記《らいき》』(祭義篇)には「身は父母の遺体《いたい》なり」とあります。遺体とは「私の肉体は父母が遺《のこ》した身体である」という意味です。つまり、自分の体は決して自分だけの所有物ではなく、祖先から連綿と引き継がれてきたものであるといえます。

こうした「生命の連続」を代々支えてきたのも、父母や祖父母、きょうだい、祖先をはじめとする家族であり、その生活の場である家庭です。だからこそ、私たちは家族や家庭を大切にしなければならないのではないでしょうか。

(平成二十二年家族のきずなキャンペーン特別号)

31日

言うは易く、行うも易く、心づかいは極めて難し

よく「言うは易《やす》く、行うは難《かた》し」と言われますが、モラロジーの創建者・廣池千九郎《ひろいけちくろう》（法学博士、一八六六～一九三八）は「言うは易く、行うも易く、心づかいは極めて難し」という言葉を遺《のこ》しています。

道端のゴミを拾う、お年寄りを気づかう、寄付をするといった行為は、努力すれば可能でしょう。しかし、それを行うときの心づかいが悪ければ、かえって悪い結果を招くこともあるのです。家庭や職場、地域社会でも、人のためによい行いをしようとするなら、見返りを期待せず、相手の幸せや喜びを願いながら行いたいものです。

私たちは毎日、多くの人との関わりの中で善事を行う機会を得ています。その時々に自分の心と向き合い、みずからの人間性の向上に努めていきたいものです。そうした努力が、私たちの人生を必ず豊かなものへと導いていくことでしょう。

（四四六号）

9月

1日

「災害に強い町づくり」とは

人は皆、社会の中で多くの人々に支えられて生きています。この「人と人とのつながり」の大切さ、助け合いの尊さは、災害等が起きるとあらためて気づかされます。大きな災害で外部からの救援をすぐに受けられないときなど、最も頼りになるのは隣近所の人々です。災害に対する備えは、ライフラインの強化などのハード面が大切なことは言うまでもありませんが、人々のふれあいがあり、心の通い合う温かい社会が大きな力を発揮することを、考え直してみる必要があるでしょう。

私たちは、常日ごろから住民一人ひとりが「つながり」を実感し、助け合って暮らしていける温かい町づくりをめざしたいものです。

その具体的な実践の第一歩として、ご近所の方々との明るい挨拶の輪が広がっていけば、どんなにすばらしいことでしょうか。

（四二八号）

2日 感謝の心は喜びの多い人生を築く

「人間は普通、幸せになったら感謝の心がわくと思っていますが、反対なのです。〝感謝の心を持つから幸せになる〟のです」

これは、NPO法人「日本を美しくする会」相談役の鍵山秀三郎《かぎやまひでさぶろう》さんの言葉です（参考＝『凡事徹底が人生を変える』モラロジー研究所）。

私たちの人生は、みずからの幸せを実現するための一歩一歩の歩みです。そして、幸せな人生とは、喜びの多い人生といえます。そうした人生を築いていくには、経済的な豊かさや健康といった要素も大切ですが、それ以上に心の豊かさが必要です。

毎日の生活の中で、小さなことでも「感謝の種」を見つけて、積極的に「ありがとう」という言葉を使ってみませんか。すると喜び＝幸せが、確実に増えていきます。その積み重ねの上にこそ「人生の幸福」が実現するといえるでしょう。

（四八二号）

3日 誕生の日は母苦難の日

薬師寺の管主を務めた高田好胤《たかだこういん》師（一九二四〜一九九八）は、著書『母・父母恩重《ぶもおんじゅう》経《きょう》を語る』の中で、次のような歌を紹介しています。

「諸人《もろびと》よ　思い知れかし　己《おの》が身の　誕生の日は　母苦難の日」（詠《よ》み人知らず）

医療技術が発達した今日においても、いのちを継承するための出産という営みには常に大きなリスクを伴うことは、変わりがありません。私たちが生まれた日は、母親が大変な苦労をした日であり、自分のいのちと引きかえにする覚悟をもって出産に臨んでくれたことに、あらためて思いを致したいものです。

親としては、子が成長するにつれて自我が芽生え、親子の間に衝突が起こるようになったときこそ、原点に返って、生命誕生の神秘や親と子のつながりを問い直してみてはいかがでしょうか。誕生日は、そのための絶好の機会といえます。

（四〇四号）

4日　共に育つ心で

みずからの努力によってなんらかの壁を乗り越えたり、自分自身の力で物事を達成したりしたとき、その人の心の中には自信や達成感が生まれます。周囲の人からの手助けも、達成感を味わって成長する機会を奪う結果になってしまうとしたら、長い目で見ればお互いの損失につながります。

手助けをしようとする人は、その行為を受ける側の個性や能力、適性などを見極めて、その人が本来持っている力を十分に発揮できるように、心を配らなければなりません。どんなときも「自分も相手も、さらには第三者も含めた全体の調和を図りながら、物事を発展させていく」という、建設的な考え方に基づいて行動したいものです。そこで相手を思いやることを心がけてこそ、周囲の人に安心と満足を与え、共に大きく成長していくことができるのではないでしょうか。

（五〇八号）

5日 仕事と生き方はつながっている

私たちの働く環境は、時代によって大きく変化するものですが、人はいつの時代も仕事の中に「働く喜び」を見いだし、誇りある生き方をしたいと願うものでしょう。

他人から見れば恵まれた仕事であっても、「仕事がおもしろくない」と不平不満を漏らす人もいます。一方、与えられた仕事に地道に取り組み続ける中で、仕事に対する愛着が生まれ、これを適職と感じるようになった人もいるでしょう。その違いは、仕事をどのようにとらえるかにあるといえます。

古来、日本人は誠実に生き、誠実に仕事をしてきました。現代の日本が高い生活水準にあるのは、先人が誠実に仕事と向き合ってきた賜物《たまもの》であり、私たちは、先人が築き上げたものを享受しているにすぎません。今、私たちが誠実な生き方や仕事に対する誠意を失えば、日本は衰退の道を歩むことになるのではないでしょうか。（四六〇号）

6日

挨拶は人間関係の扉を開く鍵

「おはよう」「いただきます」「ごちそうさま」「行ってきます」「こんにちは」「ただいま」「お帰りなさい」「お休みなさい」——こんな日常の挨拶を、照れくさくてきちんと言えていないという人も、意外に多いのではないでしょうか。

初めて顔を合わせる人とたったひと言、挨拶の言葉を交わしたことがきっかけで、その人と親しい友人になっていくこともあります。挨拶には、かたくなになった人間関係の扉も押し開く、不思議な力があるのです。

人間関係が煩《わずら》わしいと思って付き合いを避けていれば、私たちの社会生活から、安心や喜びは失われていきます。まずは自分から「明るい挨拶」を心がけ、お互いに支え合い、助け合える温かい人間関係の輪を、周囲に広げていきたいものです。

（四七九号）

7日 「因」と「縁」

仏教では、すべての物事は、直接的な原因である「因」と間接的な条件である「縁」によって成り立っていると考えます。

例えば花が咲くということは、種という因と、水・光・空気などの縁があって、はじめて可能になります。最初に因があり、そこに縁がはたらいて結果が出ます。そして、その結果がまた新たな因となり、新たな縁が加わって次の結果が生まれるのです。

人と人とのめぐり会いも、因と縁によってもたらされた結果です。それをつなぐ糸は目には見えませんが、私たちが親から受けた深い愛情も、因と縁によって運ばれてきたものです。ですから、もし親が亡くなっていたとしても、親から与えられた恩恵を新たな縁に乗せて次世代や周囲の人に運び、自分自身が「他の人から喜ばれる人間」になれば、それは立派な親孝行（恩返し）といえるのではないでしょうか。（四七四号）

8日

気づきにくい「我」

物理学者で随筆家の寺田《てらだ》寅彦《とらひこ》（一八七八～一九三五）は、次のように記しています。

「狂ったピアノのように狂っている世道《せどう》人心を調律する偉大な調律師は現われてくれないものであろうか。（中略）調律師の職業の一つの特徴として、それが尊い職業であるゆえんは、その仕事の上に少しの『我《が》』を持ち出さない事である。音と音とは元来調和すべき自然の方則をもっている、調律師はただそれが調和するところまで手を貸して導くに過ぎない」（「調律師」）

人間関係の不協和音の原因は「私が私が」という「我」にあるといえます。自分の思いや都合にこだわって周囲に我慢や努力を強いれば当然、不協和音が生じるでしょう。一生懸命になればなるほど視野が狭まり、周囲の状況や心情を思いやれなくなることも多いのです。熱心になったときほど「我」に注意したいものです。（四九八号）

9日　よき人生は、日々の丹精にある

「南無《なむ》の会」会長を務めた松原泰道《まつばらたいどう》師は、高齢者に「丹精《たんせい》の美しさ」を持つことを勧めました。丹精とは真心を込めるという意味で、心の美しさについて説いたものです。茶器や花器は、古いものに価値があるといいます。しかし、割れてしまっては芸術品としての価値は下がるでしょう。壊れないように大切に丹精してこそ、値打ちが出てくるのです。松原師は次のように述べています。「人間もやはり同じで、いかに高齢な人でも、愚痴を言ったりひがんだり、自分の感情のままにまに生きているのであっては、丹精とは言えません。丹精された美しさこそ、若い人の、及びもつかない美しさであり、その点だけでも学ぶ点があると思います」(『禅のこころ』日本放送出版協会)。

「何事からも学ぼう」との心構えがあれば、日常生活も心を磨く場です。物事に固執しない心、慈《いつく》しみの心は、若い世代にとっての生きたモデルにもなります。(二九六号)

10日 「形」よりも「心づかい」

ある子供が、親の肩叩《かたたた》きをしているとします。形の上から判断すれば、誰が見ても子供は「よいこと」をしていると思うでしょう。しかし、もしその子が「どのような気持ちで肩叩きをしているのか」と尋ねられて、「親に対する憎しみの気持ちをもってやっている」と答えた場合はどうでしょうか。多くの人が〝そういう気持ちでやっているのであれば、それは「道徳の実行」とはいえない〟と考えるでしょう。

これは重要なことを示唆《しさ》しています。つまり、形の上では「道徳の実行」と見える場合でも、心づかいが悪ければ、実行したことにはならないということです。

普通、私たちはその行為をする人の心づかいを確かめることができませんから、形だけで判断しています。しかし、心づかいのほうがより大切であることを、忘れてはならないでしょう。

（三六五号）

11日 明日へつながる今日の一歩

人生という地図のない旅を案内するのは、自分自身の心です。旅の目的地をめざして、今という時をどう生きるのか——まずは自分の足元を見つめてみましょう。

そこには、どんなに小さくても「今の自分にできること」が、必ずあるはずです。自分を支えてくれる人たちとの「つながり」を再認識したなら、そこから力を得ることもあるでしょう。あるいは〝自分も誰かを支えることができるようになりたい〟という気持ちが湧《わ》き起こったら、それが行動を起こす原動力になるかもしれません。

自分が置かれている状況や、時に目の前に立ちはだかる壁からも目を背《そむ》けず、今という一瞬を大切にしながら精いっぱい、前向きに歩んでいけば、すぐには壁を越えられなくても、ふとした瞬間に前途が開けてくるのではないでしょうか。

今、このときに踏み出す一歩が、私たち自身の人生を方向づけるのです。（五二一号）

12日 親は子供と「同い年」

ある幼稚園の園長先生は、よく園児の母親に「お母さんはおいくつになられましたか」と尋ねるといいます。これは決して失礼な質問ではありません。園長先生が言いたいのは「お母さんもお子さんと同い年ではありませんか」ということなのです。

母親が「親」になったのは、子供が生まれたときです。だから子供が四歳のとき、親としての経験は子供と同じ四年です。仮に三人きょうだいの末っ子であっても、子供はそれぞれに個性がありますから、その末っ子の親としての経験は四年でしょう。

自分も子供と「同い年」――そう考えてみると、子供と同じ目の高さで、わが子の気持ちを理解できるのではないでしょうか。〝あなたと同じように、分からないところがたくさんある不十分なお母さんですが、よろしくね〟という謙虚な気持ちでいれば、きっと子供に対して大らかに接することができるはずです。

（三七七号）

13日 「相手の安心」から生まれる「自分の安心」

順調に仕事を進めるためには、報告・連絡・相談等を通じて職場内の人間関係を円滑にし、お互いが安心し、信頼し合える環境をつくることが大切です。

「人間関係がうまくいかない」「思い通りに事が進まない」というときは、まず、自分の心のあり方を見つめてみましょう。人を受け入れようとしない、かたくなな心はなかったでしょうか。自分がかたくなな態度でいる限り、相手からも同じような反応しか引き出せないでしょう。

相手の喜ぶこと、相手を安心・満足させることを、相手の立場になって考えていくこと——。それは、相手のためばかりではありません。こうした心づかいを積み重ね、よりよい人間関係を築いていくことが、結局は自分自身の「安心」につながり、その人自身の人間的な魅力を高め、周囲からの信頼を得る鍵《かぎ》となるのです。

（五二〇号）

14日

環境問題解決の鍵は「心」

現代の私たちの生活は、まだ使えるものもゴミとして捨ててしまっていることがあります。日本国内におけるゴミ処理は、今や重要な問題になっています。人間の欲望は、とどまるところを知りません。人間のこうした一面が地球環境問題を起こしているとすれば、その欲望を少しでも抑えることが、解決への糸口になるのではないでしょうか。

「腹八分目に医者いらず」という諺《ことわざ》がありますが、ここから「物を使う際も控えめがよい」という考え方もできるでしょう。また、日本では古くから、子や孫、そして曾《ひ》孫《まご》の時代を見据えて植林を行ってきました。こうした精神を現代にも生かして物を大切にし、資源を大切にすることで、持続可能な発展の道が拓《ひら》かれていくでしょう。

（四三二一号）

15日

「敬老の日」の由来

「敬老の日」は、兵庫県野間谷村《のまだにむら》（当時）で提唱された「としよりの日」が始まりとされます。「お年寄りを大切にし、お年寄りの知恵を借りて村づくりをしよう」という趣旨で、農閑期《のうかんき》で気候もよい九月十五日を「としよりの日」とし、昭和二十二年に敬老会を開いたのが始まりのようです。これがやがて県全体、そして全国へと広まり、昭和四十一年、「多年にわたり社会につくしてきた老人を敬愛し、長寿を祝う」という趣旨で、「敬老の日」が国民の祝日として定められたのです（現在は九月の第三月曜日）。

最近は、学校の授業の一環として近隣のお年寄りの体験談を聞いたり、伝統芸能等を直接教わったりという取り組みも増えているようです。高齢者の知識と経験は、若い世代にとっての宝です。これを積極的に生かし、よりよい社会づくりに貢献していくことは、お年寄りの「生きがい」にもつながるのではないでしょうか。（四二一一号）

16日

「人生の先輩」の歩みを思う

お年寄りは人生の先輩であり、社会の恩人です。

長い人生の途上では、いろいろなことがあったはずです。何もかも順調に運んで幸せだったときもあれば、死んだほうがましだと思うほどつらく苦しいときもあったでしょう。お年寄りはそれらを乗り越え、また、一生懸命に働いて、今日の社会の繁栄を築くとともに、若い世代を育ててくれたのです。今度は若い世代がお年寄りを支え、先輩たちが築いてくれたものをしっかりと受け継ぎ、よりよいものにして、次の世代へバトンタッチしていく番ではないでしょうか。

お年寄りが一人ひとりのかけがえのない人生を、悔いのないようにじっくりと味わい楽しんでいただけるよう、若い世代は今、できる限りの努力をさせていただきたいものです。

（平成十一年全国敬老キャンペーン特別号）

17日 よりよい家庭を築く原動力

家族の絆《きずな》が希薄になったといわれる今日、私たちはしっかりとした家庭像を築いて、その実現のために努力することが大切です。しかし、自分中心の考えに陥りやすい私たちは、自分でも気づかないうちに、自分の思いだけで子供を非難したり、責めたりしてしまいがちです。それがかえって子供を傷つけ、成長の芽や反省の芽を摘んでしまうことがあります。

子供を信じて粘り強く見守りつつ導いていくには、思いやりの心が必要です。特に子供が思春期にさしかかったときなどは、その成長をよく理解して、子供の気持ちを受け入れるとともに、親の素直な気持ちを伝えることが大切でしょう。

こうした心づかいと行いは、温かい人間関係を築き、よりよい家庭を築いていく原動力となるでしょう。

（四三九号）

18日

日本人の高貴な精神

明治の初めに日本を訪れた外国人は、日本人の誠実さに驚き、尊敬の念さえも抱《いだ》いていたといいます。東京の大森貝塚《おおもりかいづか》を発見したアメリカ人、エドワード・モース（一八三八〜一九二五）も次のように述べています。

「人々が正直である国にいることはじつに気持がよい。私はけっして札入れや懐中時計の見張りをしようとはしない。錠をかけぬ部屋の机の上に、私は小銭を置いたままにするのだが、日本人の子どもや召使《めしつかい》は一日数十回出入りしても、さわってならぬ物にはけっして手を触れぬ」（『日本その日その日』平凡社）

私たちの先人は、いつの時代も、世界のどこでも通用する、日本人の魂というべき高貴な精神を守り伝えてきました。私たちも、この精神を大切に受け継ぎたいものです。

（四六〇号）

19日

一対二十九対三百

二十世紀の半ば、米国の損害保険会社に勤務していたハインリッヒは、労働災害の発生状況を調べた際、ある法則を発見しました。それは、人命に関わるような重大事故一件の背後には、二十九件の中規模事故があり、さらにその背後には三百件の小規模事故、あるいは「ヒヤリ」または「ハッ」とした未然事故があるということです。これは後に「ハインリッヒの法則」と呼ばれるようになりました。

職場で起こる不祥事もこれに基づいて考えると、その背後には数多くの「好ましくない小さな行為」があるということでしょう。例えば、落ちているゴミを拾わない、小さなミスを報告しないなど……。こんな「ちょっとしたこと」でも、それを放置していくと、心の油断がやがて不祥事を招いていくのではないでしょうか。日々、小さなことでも疎《おろそ》かにしない心の姿勢を持ちたいものです。

（四四三号）

20日　本当の「思いやり」

「相手の気持ちになって考える」「相手の立場に立つ」という言葉をよく耳にします。しかし現実には、なかなかそうした気持ちになることは難しいものです。自分に都合のよい手段や方法にこだわり、見栄や世間体を優先させた、形だけの一方的な思いやりや励ましは、相手の心を傷つけ、負担を感じさせることにもなりかねません。

人の役に立ちたいという思いを行動に移すときは、お世話をする相手に対して絶えず心を向けることが大切です。自分が満足するのではなく、その人の置かれた状況に心を配り、どうしたら喜びや満足、安心を与えることができるのかを考えることが、本当の「思いやり」なのではないでしょうか。

お互いが相手の気持ちを察しながら、心を通わせていったとき、そこに優しく温かい人間関係が生まれていくことでしょう。

（四四〇号）

９月

21日

一人ひとりの「愛語」を集めて

日本における曹洞宗《そうとうしゅう》の開祖・道元禅師《どうげんぜんじ》（一二〇〇～一二五三）は、「愛語《あいご》というのは、衆生《しゅじょう》に対してまず慈愛の心をおこし、思いをかけて愛のことばを語ることである。（中略）愛語は、愛する心からおこるのであり、愛する心は、慈《いつく》しみの心を種としているのである。愛語は、まことに天下の時勢を変えるだけの力のあることを学ぶべきである」（『現代語訳 正法眼蔵』大蔵出版）という言葉を残しています。

人は温かい言葉をかけられると、勇気を得たり、自分の可能性を発見したり、喜びを見つけたりします。また、それはめぐりめぐって、温かい言葉を発した人自身の喜びにもつながるでしょう。こうして一人ひとりが周囲の人に温かい言葉をかけることで、社会はよい方向へと向かうのではないでしょうか。その力はわずかかもしれません。しかし、多くの人の温かい心が集まれば、大きな力になるのです。

（四八六号）

22日

幸せな結婚生活の秘訣

別々の人生を歩んできた二人が、結婚を機に生活を共にしていく。そこには誰もが「幸せ」を求めるものですが、時には夫婦で意見が食い違うこともあるでしょう。また、家事や育児、仕事などのさまざまな面で、相手を助けることも、相手に助けられることもあるでしょう。自分だけの幸せを願っても、うまくいくものではありません。

幸せな結婚生活の秘訣《ひけつ》とは、「相手を幸せにしよう」と努力することではないでしょうか。相手を大事にするから、自分も大事にされるのです。相手を幸せにできた分、自分も幸せになるということを、忘れないようにしたいものです。

それは、夫婦二人だけの問題ではありません。それぞれの両親をはじめ、二人の円満な結婚生活を喜び、安心してくれる人たちがいるなら、二人分よりもっと大きな「幸せ」がやってくるということではないでしょうか。

（四四二号）

9月

23日 親祖先のいのちが生きる「私の体」

作家の吉川英治《よしかわえいじ》氏（一八九二〜一九六二）は、次のように述べています。

「もう両親はおらぬが、私は両親に会おうと思えばいつでも会えるのです。それは私の脈をみるのです。私の体の中に、いつでも両親も祖先も生きていてくれるのですから、誰でも両親に会おうと思えば何時《いつ》でも会えるのです——」

私たちの体の中には、両親も祖先も、脈々と生き続けています。そうした代々の数多くの人々が、次の世代であるわが子を慈愛の心で守り育ててきたからこそ、今こうして私たちはいのちをいただき、生きているのです。

その親や祖父母、祖先とのいのちのつながりを感じるとき、私たちは「自分一人の力で生きているのではなく、生かされているのだ」と感じ取ることができるのではないでしょうか。

（四一九号）

24日

日々、感謝とねぎらいを

「働くってのはね、はたをらくにしてやることさ」（山本有三著『路傍の石』）――この言葉に見るように、働くとは周囲の人を喜ばせ、人を支え、社会の役に立つことです。私たち自身の生活も、他の人々の働きにより支えられています。私たちは働くことで互いに支え、支えられているのです。さらに突き詰めると、働くことには社会の恩に報いるという意味もあるでしょう。自分の働きが他人や社会の役に立っていると感じ、社会の恩に対する感謝の心を持ったとき、私たちはより深い充実感を得ます。

また、私たちがそのことを実感するのは、感謝の言葉をかけられたときではないでしょうか。私たち自身も日々、周りの人に対して「いつもありがとう」「ご苦労さま」という感謝やねぎらいの気持ちを多く伝えていきたいものです。そうすることで、皆が生き生きと働ける、明るく潤いある社会が築かれていくことでしょう。

（四二六号）

9月

25日 自分の良心に照らして考える

「個人の自立」ということがよくいわれます。これは、単に自分の思うとおりに生きるということではなく、自分の中にきちんとした基準を持って、それに従って自分を律して生きるということです。「自律」は「自立」につながります。自分を自分で律していくことが、モラルの原点であるといえます。

自分のとるべき行動に迷いが生じたときには、少し立ち止まって〝自分の行為は環境によって左右されていないだろうか〟〝どんな場合でも自分が正しいと思うことはする、正しくないことはしないという生き方ができているだろうか〟と、自分の心に問いかけてみましょう。

社会の一員として、自分の良心に照らして恥ずかしくないかどうかを心の中でよく考えてみることが、道徳実行の第一歩になるのではないでしょうか。

(四〇二号)

26日 木を見て森を見ず

車の速度が上がれば上がるほど、ドライバーが認識できる視野は狭まります。高速道路上で車を運転しているとき、インターチェンジの合流地点でスッと脇から進入してくる車にヒヤリとした経験がある人も多いでしょう。

私たちの心も〝それはこうに決まっている〟〝自分は絶対に正しい〟という一方的な思いを強くすればするほど、高速道路で運転しているときのように、心の視野が狭くなるのではないでしょうか。

「木を見て森を見ず」というように、一部分だけを見ていると、物事の全体像は見えなくなります。一面的な物の見方は、私たちの思い込みを大きくし、大切な判断を狂わせるのです。自分本位の「思い込み」に陥り、人や物事の実像を見誤ってはいないか――日々、心したいものです。

（四三六号）

27日

「ありがとう」は人間関係の潤滑油

平成十九年に「日本人の好きな言葉」について調べたところ、第一位は「ありがとう」で、六七パーセントの人が選んだといいます（ＮＨＫ放送文化研究所調査）。

多くの人が「ありがとう」の言葉を欲する背景には、私たちの日常の中に、それだけ感謝の言葉を交わす機会が少なくなっているという状況があるのかもしれません。効率を求められ、時間に追われがちな現代の生活では、言葉の一つ一つに心を込めることが疎《おろそ》かになり、気持ちを十分に伝える機会が少なくなっているという事情もあるようです。

心からの感謝を伝えたとき、相手の喜びが引き出されるだけでなく、自分自身の心の幸福感も増していきます。人に感謝し、人から感謝される。今、そのような温かい人間関係を紡《つむ》ぎ直していく必要性が問われているのではないでしょうか。

（四八九号）

28日

失敗から何を学ぶか

小学生の子供が持ち帰った工作の宿題。手際の悪さを黙って見ていられず、つい手を出して、結局ほとんどを親がつくってしまった――そんな経験はありませんか。

私たちが物事を成し遂げようとするとき、すべてが思い通りに進むわけではなく、事の大小にかかわらず失敗や挫折《ざせつ》を経験するものです。それは子供の場合も同様です。

しかし、幼い子供が何かを試みようとするとき、親は〝失敗させたくない〟という思いから、必要以上に手を出しすぎることがあります。これもわが子がかわいいと思う親心からなのでしょうが、場合によっては、子供がみずから成長しようとする芽を摘んでしまうことにもなりかねません。

失敗も、チャレンジしているからこそです。結果ではなく、その失敗から何を学ぶかを大切にしていきたいものです。

(四二三号)

9月

29日

他者批判を超えて

社会の中で、自分勝手のように思える他者の言動を見聞きしたとき、私たちはどのように思うでしょうか。〝こんなことでは世も末〟と嘆かわしく思ったり、怒りに任せて相手を批判したり、言うべき言葉を失ってただあきれたりすることもあるかもしれません。しかし、嘆いているだけでは世の中はよくなりませんし、感情に任せて相手とぶつかっては、周囲にますます波紋が広がってしまうことでしょう。

私たちがよりよい人生を築くためには、自分をとりまく社会もまた、よりよいものになっていく必要があります。そのためには、まずみずからが発信源となり、温かい心で周囲と向き合っていくことが大切です。一人ひとりの力の及ぶ範囲には限りがあっても、また、その行為の一つ一つがどんなにささやかであっても、その積み重ねこそが、自分や周囲の人々の心を豊かにしていくのではないでしょうか。

（四九九号）

30日

次の人への「頑張ってね！」

ある幼稚園で、運動会に向けてクラスでリレーの練習をしていたときのことです。いつごろからか、一人の女の子が次のランナーへバトンを渡すときに「頑張ってね」と声をかけるようになりました。すると、それはいつの間にかクラス全体へと広がって、皆が次の人に「頑張ってね」と言うようになったのです。このクラスには、運動会のリレーの競争で負けた後も、「誰々のせいで負けた」と言う子や泣きじゃくる子は出なかったということです。

忙しい毎日の中で、いつしか周囲が見えなくなっていた、という経験はないでしょうか。そんなときこそ、意識して周りの人に心を配り、人のためにできることを探してみましょう。例えば「次に使う人のこと」を思って、職場の共有資料を整理しておくなど……。そうした心がけが、自分の人生を豊かにしていくのです。

（四七五号）

9月

10月

1日　日本人の美しい生き方

日本人は古来、日本の美しい自然を愛してきました。そして「大いなるものに生かされている」と感じ、神仏を畏《おそ》れ敬い、自然と共生してきました。

一つの国の伝統と文化は、長い歴史を通じて受け継がれてきたものであり、不思議とその民族を象徴します。私たちの祖先がどのような自然観や死生観を持っていたか、また、どのような想像力を持ち、何を尊び、何を畏れ敬ったかを、日本の伝統と文化の中に見ることができるのです。「日本人の心のよりどころ」として約二千年の時を刻んできた伊勢の神宮の祭事などは、その最たるものといえるでしょう。

日本の歴史や伝統、文化を見直すことは、日本人としての精神的な支柱を確かなものにします。まず、身近な地域に伝わる伝統や文化に触れて、その奥に流れる「日本人の美しい生き方」を再発見してみてはいかがでしょうか。


（四四四号）

2日

式年遷宮に込められた祈り

三重県の伊勢の神宮では二十年に一度、社殿や神宝等のすべてをまったく同じ姿を保ってつくり改めるという「式年遷宮《しきねんせんぐう》」が、約千三百年前から続けられています。

エジプトのピラミッド、ギリシャのパルテノン神殿などの石造物は、それが壊れてしまえば建築技術を伝える術《すべ》がありません。しかし神宮は二十年ごとにみずみずしく蘇《よみがえ》り、いつの時代にも生き生きと存在するのです。日本の国がいつまでも若々しく、永遠に発展していくようにとの願いを込めて、神のお住まいを二十年ごとに建て替え、新しい息吹《いぶき》を吹き込んできた日本民族の知恵と精神のすばらしさがここにあります。

太古の日本人は、式年遷宮を通じて神様に若返っていただいて、よりすばらしい時代が迎えられるように祈ったのではないでしょうか。その祈りが千三百年もの長きにわたる「心の連続性」をもって、今に伝えられているといえるでしょう。

（四四四号）

10月

3日 仕事によって得られる喜び

仕事によって得られる喜びには、次の三つの要素があると考えられます。

①能力を発揮することができる（自己の成長を実感できる）

②他人や社会の役に立つことができる（社会に貢献している）

③報酬を得ることができる（生活のための十分な収入がある）

そこでは「報酬を得る」という物質的な満足だけでなく、一生懸命仕事に取り組んだという達成感や、その結果をほかの人から認められたことなどによる精神的な満足も、大きな部分を占めます。そのため、まったく同じ仕事をしたとしても、そこで味わう喜びの大きさは、人によって異なるのです。

人は人生の中で、働くことに多くの時間を費やしています。その時間により多くの喜びを見いだすことで、喜びの多い人生を築いていきたいものです。

（四九四号）

4日 子育ては「親育て」

親は最初から親だったわけではありません。日々の生活の中で子供と向き合い、子供と共に学びながら、少しずつ親になっていくのではないでしょうか。親は子供を育てますが、親もまた子供によって、親として成長するチャンスを与えられるのです。

子供の成長には、さまざまな失敗がつきものです。時には周囲の人に迷惑をかけてしまい、親として詫《わ》びなければならない場合もあるでしょう。しかし、そんなときは〝まだまだ未熟な親ですが、よろしくお願いします〟という気持ちで頭を下げてみると、子供の失敗にも粘り強く付き合っていけるのではないでしょうか。子供の失敗は、親としての自覚を深め、親子の絆《きずな》を深めていく機会にもなるのです。

子育てを通して、親も子供も心が育つ――まさに子育ては「親育て」「心育て」といえます。

（四〇三号）

5日 誰かの力になりたい

〝誰かの役に立ちたい〟〝困っている人がいたら手を貸したい、助けたい〟という気持ちは、〝他者と関わって生きたい〟という願いの表れであり、誰もが本来持っている美しい心です。

大人世代は、家庭で、学校で、地域社会などの場で、若い人たちの「あら探し」をするのではなくて、彼らがさり気なく発揮する温かさや優しさを発見していくことに関心を払っていきたいものです。それを発見したときには、精いっぱい褒《ほ》め、認めて、「ありがとう」と言おうではありませんか。

彼らが持っている〝誰かの力になりたい〟という美しい心をいっそう大きく、豊かに育てていくことが、大人世代の役割でしょう。同時に、二十一世紀に対する責任であるといえるのではないでしょうか。

（三八七号）

6日

方法にも「真心」を尽くす

国際協力機構（ＪＩＣＡ）に所属してケニアに渡り、農村の生活改善に尽くした岸《きし》田《だ》袈《け》裟《さ》さん（一九四三〜二〇一〇）は、「ケニアの人が本当に必要としていて、しかも自分たちでつくれるもの」を追究し、「エンザロ・ジコ」というかまどを考案しました。

これは、レンガや石で組んだ土台を粘土で塗り固めてつくるかまどです。従来、地面に並べた石の上に鍋《なべ》を置いて火にかけていた現地では、画期的なものでした。しかも、かまどのつくり方を教わった人たちが周囲につくり方を伝えていったので、今では隣国にまで広まっているということです（参考＝『エンザロ村のかまど』福音館書店）。

援助を行うときは、相手の置かれた状況を深く思いやって、「どのような手段・方法をとることが将来的に最もよい結果につながるのか」を考える必要があります。何事も動機と目的だけでなく、方法にも「真心」を尽くしたいものです。

（五〇八号）

7日　「受けとめ方」を変えてみよう

人は悩みに陥ると、どうしても悩みそのものにとらわれがちです。そんなとき、少し立ち止まって別の角度から物事を見てみることで、解決の糸口が見えてくるのではないでしょうか。

自分の悩みの原因が「他人」や「自分に関わりのないところで他人が引き起こした物事」にあると考えると、その「他人」が変化しない限り、問題は解決しないことになってしまいます。

私たちは、他人を変えることはできません。そして、過去を変えることもできません。しかし、今の自分の考え方を変えることで、他人の言葉や行為、そして、過去に起こった物事の「受けとめ方」を変えることはできます。これは、私たちの心が持つ大きな力だといえるでしょう。

（五〇五号）

8日
「いのち」と「心」を育む家族

人は皆、父母から「いのち」を与えられ、この世に生まれてきました。誕生後もしばらくの間は、周囲の大人の手で養い育てられなければ、生き長らえることはできなかったでしょう。そして養育とは、単に「食物を与えられて保護され、体の成長を支えてもらう」ということにとどまりません。私たちは周囲の大人から躾《しつけ》や教育を受けることで、人間としての「心」を育んできたといえます。言葉や生活習慣をはじめ、社会に順応して生きるための基本的な能力や知恵、物事の善悪や社会の決まりごとなどは皆、そうした大人たちのもとで幼いころから学び取り、身につけてきたものです。

私たちが今日ここに存在するのは、父母や家族などがその成長に心を尽くしながら〝どうかこの子が無事に生まれ育ち、社会の中でしっかりと生きていけるように〟という思いを注いでくれた結果なのです。

（平成二十四年家族のきずなキャンペーン特別号）

9日　「満腹ネズミ」になっていませんか？

「満腹ネズミ」の話をご存じでしょうか。食事と寿命の関係を東京都老人総合研究所が実験調査した結果、毎日腹八分目に食べたネズミは千二百二十二日生き、常に満腹なネズミはその半分の六百八十日しか生きなかったそうです。満腹ネズミが短命になった理由の一つに、満腹を脳に知らせる「満腹中枢」の機能不全があるといわれます。通常、満腹中枢が機能し始めるのは食べ始めてから二十分後であるのに、それより早く食べ物を胃に詰め込むことで、体が正常な満腹値を判断できなくなるのです。

同様に、より早く、より簡単に結果や成果を求め続ける生活の中では、満足や喜びなどを感じる心が麻痺《まひ》して、いくら欲を満たしても、喜びや幸せを感じられない状態になるのではないでしょうか。〝満心〟を求めず、腹八分目の段階で、今ある状態を肯定し、満足を得る。それが、心の健康を保つ秘訣《ひけつ》かもしれません。

（四七六号）

10日 親孝行の第一歩

中国の古典（『孝経』）に、次のような言葉があります。

「身体髪膚《しんたいはっぷ》、これを父母に受く。敢《あえ》て毀傷《きしょう》せざるは、孝の始めなり」

私たちの体は毛髪・皮膚に至るまで、すべて親からいただいたもの。それを痛めたり傷つけたりしないようにすることが、親孝行の始まりであるという意味です。

私たちは、親祖先の存在があって、この世に生まれてきました。そして今日まで、その深い愛情の中で育まれてきたことでしょう。親にすれば、わが子はどんなに成長してもわが子です。社会的に高い地位を得て、経済的に豊かになっても、常に親はわが子のこと、中でも体のことを心配し、気づかう存在なのです。

その意味で、私たちはまず自分の健康に気をつけて、親に安心してもらうことが大切です。それが、親孝行の第一歩といえるのではないでしょうか。

（四一六号）

11日

「傍観者」にならないために

暮らしの中では、よいと分かっていることでも行動に移すのをためらってしまうという場面が往々にしてあります。そこにある心の動きを、心理学では「傍観者効果」という言葉で説明します。これはアメリカの社会心理学者、ラタネとダーリーの実験によって明らかにされた集団心理の一つで、一人でいるときはためらわずに人助けができても、周囲に人がいると、自分から進んで行動を起こさない「傍観者」となってしまう可能性があるというのです（参考＝『新装版 冷淡な傍観者』ブレーン出版）。

職場の共有スペースが散らかっていても〝誰かが片付けるだろう〟と考えてそのままにしたり、座席の埋まったバスや電車にお年寄りが乗ってきても〝誰かが席を譲るだろう〟と思って席を立たなかったり……。そうした身近な場面の一つ一つで積極的に行動を起こし、「傍観者」の心理を打ち払う勇気を培《つちか》っていきましょう。

（五〇一号）

12日

心からの「ありがとう」を伝える

心からの感謝のひと言は、人と人との関係に潤いを与えます。私たちが感謝の言葉を受け取ったときにうれしく思うのは、その言葉の奥に「あなたを大切に思っています」「あなたを重要な存在と感じています」という相手の心を感じ取るからでしょう。

人は自分を大切と思ってくれる人のために、積極的に何かをしたいと思うものです。お互いがお互いを重要な存在と認め合う中に、心の通った助け合い、支え合いの関係が実現できるのでしょう。

目を閉じて、身近にいる人たちの顔を思い浮かべてみてください。自分を支えてくれている大切な人に対して、日ごろ、どのように感謝の気持ちを伝えているでしょうか。繰り返される当たり前の毎日の中で、ひととき心を鎮《しず》め、心からの「ありがとう」を伝える努力をしていきたいものです。

(四八九号)

13日

「和の心」でまとめたい

宇宙飛行士の若田光一《わかたこういち》さんが平成二十五年末から約半年の間、国際宇宙ステーションに長期滞在し、後半の二か月は船長として搭乗員の指揮を執ることになったという報道がなされたとき、次のようなコメントが紹介されました。「これまでの積み重ね、信頼感があってこそ日本に（船長を）任せる時代になった。『和の心』を大切にしてチームをまとめ、最大の成果が出せる体制を作りたい」（参考＝『毎日新聞』平成二十三年二月十七日付夕刊）――「和」とは、含蓄のある言葉です。

『論語』（子路篇）には、「和《わ》して同《どう》ぜず」（人と協調しながらも自分の意見をしっかり持ち、むやみに調子を合わせたり、道理に反することに賛成したりしない）とあります。責任を持って自分の意見を述べながらも、相手の個性や意見を尊重し、建設的・平和的に物事を運んでいくところに「和」の精神の真価が発揮されるのです。

（五〇四号）

14日

「善意」を実らせるために

誰かのためを思って行動しても、時にはちょっとした行き違いやタイミングの悪さから、相手を不快な気持ちにさせ、ギスギスした空気が残る場合もあります。

例えば「電車の中で席を譲る」という善意の行為が相手に受け入れられなかったとき、私たちは何を思うでしょうか。〝人が親切でやってあげたのに……〟という気持ちになっては、せっかくの善意も台無しでしょう。こうしたときは、自分の善意を押し付けようとするのではなく、相手の立場や気持ちに思いをめぐらして「どうしたら相手の心が和むのか」という思いやりの心で冷静に対処したいものです。

自分に非があったのならともかく、相手の勘違いや誤解から非難を受けた場合の対応はことのほか難しいものですが、その際も〝まだ自分に足りないものがあるかもしれない〟と自分を省みることができれば、自身の成長の糧《かて》となるでしょう。（四九七号）

15日

「心の中の言葉」の力

突然の人事異動で、意欲的に取り組んでいた仕事から離れることになった会社員のNさん（40歳）。異動は勤め人の定めと承知していても、心の中にはいつも〝こんちくしょう〟という言葉が渦巻いていました。仕事がうまくいかないと、周りの人を責める気持ちが湧《わ》き起こります。そうして半年ほど経《た》つと、職場の同僚はNさんを避けるようになりました。家でも、妻や子供の笑顔をあまり見なくなった気がします。

ある朝、顔を洗おうとしたNさんが鏡を見ると……「あーあ、これじゃ、皆が避けるのも無理ないか」。そこには、ムッとした自分の顔が映っていたのです。

「心の中の言葉」は力を持っています。不平不満の心で過ごすのか、感謝の心で過ごすのかで、毎日の生活は変わってくるのではないでしょうか。試しに〝ありがとうございます〟という心の中の言葉で、今日一日をスタートしてみませんか。

（四〇〇号）

16日 見えにくい自分の心

私たちは、人のことはよく見えても、自分自身のことは意外に見えていない部分があるものです。

自分の心を見つめ直してみましょう。人のためによかれと思ってしているようでも、心の中では「自分への評価」を期待していることはないでしょうか。人の話を聞いているように見えても、実は自分の心の声にだけ耳を傾けていることはないでしょうか。人の言うことに黙って従っているように見えても、心は冷たく固く沈黙し、相手を拒否していることはないでしょうか。正論を主張しているようでも、心の中では人を責め、知らず知らずのうちに相手を傷つけていることはないでしょうか……。その「見えにくい自分の心」を見せてくれるのが、人間関係のトラブルなのかもしれません。

自分の心をしっかりと見つめ、温かい心を育んでいきたいものです。

（三三九号）

17日

自然につながって生きる

日常生活の中で「自分は生かされている」と実感するのは、難しいことかもしれません。しかし事実として、私たちのいのちは自然のはたらきに支えられています。空気や水、大地、太陽の光などのさまざまな自然の恵みがあってはじめて、私たちは生きていくことができるのです。

人々は古来、自然の中に人間を超えた大きな力の存在を認め、それを畏《おそ》れ、崇《あが》めてきました。そして自然のはたらきに感謝し、祈りをささげてきました。科学が発達した現代でも、人間が自然の中で生かされているという事実は変わりません。

自然の中での人間は小さな存在ですが、同時に、すべてのものとつながった大きな自然の一部であるとも考えられます。私たちは、自然から生きる力を与えられていることに感謝して、与えられた力をできる限り生かしていきたいものです。（四六七号）

18日

先人木を植え、後人その下で憩う

「先人木を植え、後人その下《もと》で憩《いこ》う」という言葉があります。

現代の暮らしを支える社会制度やサービスも、電気・ガス・水道などのライフラインも、元をたどれば、先人たちが長い年月をかけて整備してきたものです。一朝一夕《いっちょういっせき》にできたものは、何一つありません。今、私たちの社会生活が滞ることなく動いているのは、仕事や奉仕などによってそれぞれの持ち場で社会を支えている多くの人たちの力があるからですが、現代の快適な暮らしの背後にある無数の先人たちの苦労や献身も、忘れてはならないでしょう。

同じ時代に生きる人とのつながりが「横のつながり」であるとすると、過去に生きた先人たちとのつながりは「縦のつながり」ということができます。さまざまな「つながり」を感じ、その支えに感謝する心を大切にしていきましょう。

（五〇六号）

10月

19日

子供の気持ちを受けとめる

子供が不機嫌になったりグズグズ言ったり、ということは日常茶飯事です。そんなとき、周りの大人がどう対応するかはとても大切なことです。

子供の感情が波打って言うことを聞かないとき、大人はつい子供の怒りや訴えを受けとめることも忘れて、自分の考えばかりを押しつけようとしがちです。

しかし、子供は大人のように論理的ではなく、感情をめいっぱい出して動こうとします。そして、心はとても純粋で、その分受ける傷も大きいのです。

例えば、子供はよく親にまとわりつきます。そのとき大人が「もう大きいんだからやめなさい」などと言って、子供の気持ちを受けとめることなく拒絶すると、子供はそれだけで心を閉ざしてしまいます。後でいくら親がすりよっても、そのときに拒絶されたという心の傷だけはしっかり残るのです。

(三〇二号)

20日

心が持つ大きな力

　とっさに口を衝《つ》いて出た言葉や何気ないしぐさから、その人の人柄が見て取れることがあります。私たちの言動は、私たちの「心」の表れなのです。
　自分は日ごろ何を大切に思い、何に価値を見いだして生きているか。その時々に出会う物事に対して、どのような心をはたらかせているか。それらは、私たちの言動に影響を与えます。また、中国の古典には「善積まざれば、もって名を成すに足らず。悪積まざれば、もって身を滅ぼすに足らず」（『易経《えききょう》』繋辞下伝《けいじかでん》）とあります。私たちの人生における大きな出来事は、一朝一夕《いっちょういっせき》に成るのではなく、小さな善事や悪事が長い年月のうちに積もり積もった結果である、ということでしょう。
　心とは、目で見ることはできませんが、私たちが考える以上に大きな力を持っているのではないでしょうか。

（五〇〇号）

10月

21日 五事を正す

江戸初期の儒学者・中江藤樹《なかえとうじゅ》（一六〇八〜一六四八）は、さまざまな徳行・感化によって〝近江《おうみ》聖人〟と称えられた人物です。藤樹は日常の中で心がけるべきこととして、「五事《ごじ》（貌《ぼう》・言《げん》・視《し》・聴《ちょう》・思《し》）を正す」ということの大切さを説きました。

これは、和やかな顔つきをし（貌）、思いやりのある言葉で話しかけ（言）、澄んだ目で物事を見つめ（視）、耳を傾けて人の話を聴き（聴）、真心を込めて相手のことを思う（思）ということです。こうすることによって、周囲と親しみ、尊敬し、認め合う心を磨くことができるというのです。

私たちは、互いに支え合って生きています。よりよい人間関係を築くには、自分の思いばかりにとらわれず、みずからを律したうえで、どのように周囲の人々に尽くし、協力していけるかを考えることが大切なのではないでしょうか。

（五〇四号）

22日

見返りを求めずに「補う」

まだ子供が幼くて手がかかるとき、夫は妻のために、また、妻は夫のために、何をすることができるでしょうか。

「相手を補う」という考え方は、夫婦間の問題にとどまらず、人間関係の基本的なあり方にもつながっていくものです。

どのような人でも、長所と短所があります。人間は、お互いに何かと足りない点があるのが普通です。相手の足りない点を補おうとする心は、この世界に同時期に生きている人間同士として、とても大切な心づかいです。

注意したい点は、相手を補う際の心の持ち方です。夫婦は身近な存在だからこそ求め合う気持ちも強くなっていくものですが、相手に見返りを求めないで自分が進んで行おうとするところに、心づかいのヒントがあるのです。

（三九七号）

10月

23日

ひと文字ひと文字を大切にする

パソコンや携帯電話が普及した今、メールは重要なコミュニケーションの手段となっています。

手紙もメールも基本的には文字を扱うものですから、一つ一つの文字や言葉を大切にしたいものです。特に、メールでは変換ミスがないとも限りません。お客様宛のメールに「深くお詫《わ》び申し上げます」と記すところを「不覚お詫び申し上げます」では、ちょっとした変換ミスといって笑って済ませることはできません。

手紙やメールに誤った文字が一つあるだけで、それを受け取った人は、誠実さが薄れているように感じます。それが宛名であれば、なおさらです。名前を確認し、相手を思い浮かべながら記していれば、間違いは起こらないでしょう。宛名書き一つにも心を込めることは、相手への敬意の表れであるといえます。

（四六九号）

24日

「違い」を理解する

「異文化」を理解することは、人と人とが理解を深めることの象徴といえます。

相手のことを知るためには、まずは自分自身の育ってきた環境や背景、ひいては日本の国に思いをめぐらし、その上にある自分の考えや価値観について、見つめ直す必要があります。その土台があれば、たとえお互いの考えが食い違ったり、行き違いになったりしても、どこが違うのかをじっくり考えて話し合い、その違いを埋めていくことができるでしょう。

そして、自分の気持ちと相手の気持ちのどこに違いがあるのかを探っていくうちに、お互いの心の中には深い信頼感と絆《きずな》が生まれ、やがて、お互いの理解へとつながっていくのではないでしょうか。

自分と違う相手を理解することは、自分自身を知ることでもあるのです。（三一四号）

25日

家庭は小さくても重要な「社会」

たとえ学校の成績がよくなかったとしても、あるいはスポーツや芸術分野などに優れていなかったとしても、その家庭に育つ子供は、親や家族にとって「かけがえのない存在」でしょう。

また、子供にとっても家庭は安息の場であると同時に、人として教育される場でもあります。さらに、家庭は子供が学校や社会に出ていくための準備をするところです。子供はここで、きょうだいや親、祖父母との関わりを通じて、人間関係の基礎を築いていきます。つまり、家庭とは最も規模の小さな「社会」であり、子供が基本的生活習慣を身につけ、人間形成を行っていく重要な場であるのです。

まさに「道徳は家庭から」「家庭は道徳の基《もとい》」というべきでしょう。

（平成二十二年家族のきずなキャンペーン特別号）

26日

これで三方どちらもよい

廣池千九郎《ひろいけちくろう》（モラロジーの創建者、法学博士／一八六六～一九三八）が三人連れで講演先へ向かう際、事故で列車が不通になり、タクシーに乗ることにしました。そこへ先を急ぐという人が二人、同乗を頼みに来ます。当初「三人が乗って二十円」という契約をしていた廣池は、全員で五円ずつ出すことを提案し、次のように説明しました。

「私は無料で同乗させてあげても差し支えないが、運転手さんは契約と違うから、不愉快な思いをしなければならない。そこであなたたちもお金を少し出せば、その分運転手さんに多く払うことができ、あなたたちも気軽に乗って行ける。私たちも窮屈な思いはするが五円だけ安くなるので、これで三方《さんぽう》どちらもよいことになるでしょう」

日常生活の中でも、何か物事を行うときには、常に自分・相手・第三者が共に喜ぶことのできる「三方よし」の視点を大切にしたいものです。

（五一四号）

10月

27日 ならぬことはならぬ

江戸時代の会津藩《あいづ》(現在の福島県)は、子弟の教育に力を入れたことで知られます。藩校に入学する前の子供たちは、同じ町内の子供同士で「什《じゅう》」と呼ばれる十人程度の集団をつくり、そこで「嘘《うそ》を言ってはならない」「卑怯《ひきょう》なふるまいをしてはならない」「弱い者をいじめてはならない」などの約束事を守るように努めました。この「什の掟《おきて》」の最後は、「ならぬことはならぬものです」という言葉で締めくくられています。

ならぬことはならぬ——短いながら、現代の私たちにも強く響いてくる言葉です。もちろん掟の内容は、武家社会の道徳を反映したものですから、現代にはそぐわないものも含まれています。しかし、社会生活の基本的なマナーやモラルが見失われている現代において、子供たちが自分を律していくための善悪の基準を示すことは、大切なことではないでしょうか。

(四〇二号)

28日

「傾聴」から生まれる癒しの力

私たちは、人に話をすることで〝自分を受けとめてもらえた〟と感じます。話すことで、心にたまった緊張感やストレスを外に出し、自分の気持ちを浄化することができるのです。それは「癒《いや》し」や「心の安寧《あんねい》」にもつながるものでしょう。

「傾聴ボランティア」を続けている人は、「傾聴とは、相手の話を自分の評価や批判、意見をいっさい挟まずに、心を込めて聞くこと」であるといいます。「話を聞く」という行為も、意思を主体的にはたらかせなければできないことです。ぼんやりしていたり、聞き流したりするような態度では、人の心は癒せません。相手が真摯《しんし》に聞くからこそ、話すほうも話を深めることができるのです。

「心を込めて話を聞く」ということを、日々、心がけていきたいものです。

（平成二十一年全国敬老キャンペーン特別号）

29日

「親を思う心」を育てる

若いころは仕事一筋で、頼もしく思えた親の背中。子供を育て上げて仕事も引退したら、肩の荷が下りて穏やかな老後を過ごしてくれるだろうと思ったのに、途端に元気がなくなってしまった——そんな心配をお持ちの方もあるのではないでしょうか。

人は誰でも自分の役割を認められてこそ、生きがいを感じます。親もまた同じではないでしょうか。身体的・経済的には子供の援助を受けるようになったとしても、親として子供に認められ続けることは、親の喜びです。

核家族化が進む現代では、親子が離れて暮らす家庭も多くなり、子供は親の思いに気づきにくくなっているのかもしれません。しかし、自分を育ててくれた両親の節《ふし》くれだった手を、そして優しい笑顔を、時に思い起こしてみませんか。「親を思う心」を育てていくことは、私たち自身の心を成長させる鍵《かぎ》にもなるのです。

（四〇一号）

30日

「知識」を真に生かすもの

「いい学校を卒業すれば、その後の人生は保証される」——これは本当でしょうか。私たちは、ともすると知識や学歴に絶対的な価値があり、人間としての価値を決定するものであるかのように錯覚していることがあります。しかし知識は、それ自体に価値があるわけではありません。知識をなんのために、どのように生かしていくかが重要です。それを知るのが「学ぶこと」の意味であり、目的なのではないでしょうか。知識を真に生かすのは、その人の「人柄」です。だからこそ、道徳性や人間性、つまり心を育てる教育が必要とされるのです。

大人世代は、学ぶことの意味や目的を次世代にしっかりと伝えていくためにも、まず次世代の子供たちにどのような人間になってほしいのかを、自分の生き方と照らし合わせ、あらためて問い直していく必要があるのではないでしょうか。

（三九九号）

10月

31日 思いやりの心で子育てを

親は、よい家庭を築き、子供がよく育ってくれるようにと願うものです。そのために、子供がなんでも話せるような家庭の雰囲気をつくり、同時に、よい習慣やきちんとした倫理観を育んでいこうと努力するのでしょう。目標として思い描く家庭像・家族像に向けて精いっぱいの努力を惜しまないのが「親の心」です。

ところが、親の「こうあってほしい」「こうありたい」という願いは、知らず知らずのうちに「～でなければならない」という、子供への押しつけになりやすいものです。すると親の期待どおりにならない子は「悪い子」「だめな子」になってしまいます。

親として子育ての目標を描き、それに向かって努力するのは尊いことです。しかし、たとえ目標がすばらしいものであっても、それを実現していくためには子供への「思いやり」が必要なのです。

（四三九号）

11月

1日 大切にしたい「親孝行の心」

古くから「孝は百行《ひゃっこう》の本《もと》」といいます。これは、自分の「いのち」を生み育ててくれた親や祖先に対して孝養を尽くすことこそ、私たちがよりよい人生を築くための基本であることを教えたものです。

私たち人間と動物との決定的な違いは、親に感謝し、孝養を尽くすことであるといわれます。確かに、動物も親は子を大切に育て、子も一人前に成長するまでは、親に寄り添っています。しかし、ひとたび成長し、巣立ってしまうと、そこには人間のような親と子の関係は感じられません。人間だけが、いくつになっても親子の情を持ち続けるのです。ここに、人間が人間である理由があるのではないでしょうか。

親がわが子を思う「親心」と同様に、子が親を大切に思う「親孝行の心」は、時代が変わっても大切にしていきたいものです。

（平成十九年全国敬老キャンペーン特別号）

2日 「今、ここ」でやるべきことをやり続ける

日本初の林学博士で「日本の公園の父」と呼ばれた本多静六《ほんだせいろく》（一八六六〜一九五二）は、「仕事は一所懸命にやっていれば必ずおもしろくなる。それが成功への道であり、幸福への道である」という確信を、生涯にわたって説き続けました。

本多は、幼いころに父親が多額の借金を残して亡くなったため、書生として他家に住み込んで勉学に励みました。その折、家の主人から紹介されたのが、学費のかからない「山林学校」でした。目の前に偶然現れたその道で、与えられたことを一所懸命にやり続けることで、本多はみずからの人生を切り開いていったのです（参考＝渡部昇一・中山理共著『人間力を伸ばす珠玉の言葉』モラロジー研究所）。

「自分らしくいられる場所」を探して堂々めぐりになるよりも、「今、ここ」でやるべきことをやり続けてこそ、発見や喜びが得られるのではないでしょうか。（五一一号）

3日　多くの「恩」に支えられている

私たちは、衣食住をはじめ、身の回りの人々の働き、または文字や言葉や芸術などの文化的なもののおかげで日々生活しています。また、家庭や社会、国があって今の暮らしが成り立っているのであり、さらに、これらすべては自然のはたらきに包まれています。そもそも私たちのいのちは、数限りない祖先たちによって伝えられてきたものであり、その間に一度でも断絶していたら、私たちは今ここに存在しないのです。

このいのちは、子や孫へと次代に伝えられていきます。社会全体も地球そのものも、同じように次代へつないでいかなければならないものです。

そう考えると、私たちは「自分が恩を受けたと思わない」「昔のことなど知らない」などということはできないでしょう。自分の生き方を考えるうえで、そうした多くの恩恵に支えられているという自覚を持つことが大切ではないでしょうか。

（四一二号）

4日 地域のつながりは挨拶から

ひと昔前までは、困ったことがあれば隣人同士で助け合うなど、隣近所が「大きな家族」のようだった日本の地域社会。近年は地域のつながりが薄れ、地域の教育力の低下や犯罪の増加が指摘されるようになっています。

住民の地域への関心度を示すものの一つに、町内の掲示板が挙げられます。期限の切れたポスターやチラシがいつまでも貼られている地域や集合住宅は、泥棒に狙《ねら》われやすく、犯罪発生率も高いという指摘があるほどです。これは「住民と住民の心の間に隙間《すきま》が生じている」ということではないでしょうか。

隣人に対して心を開くきっかけは、やはり挨拶や声かけでしょう。「おはようございます」といった簡単な挨拶から始め、徐々に「いいお天気ですね」などのひと言を付け加えていくことで、心の通い合う人間関係を築いていきましょう。

（四六二号）

5日　育ち合う親と子

親と子は、どちらか一方だけが成長するのではなく、子供が成長していくに従って、親のほうも親として成熟していくのではないでしょうか。親と子には、お互いに成長を促し合っていくという相互作用があるようです。夫と妻の間にも、同じようなことがいえます。

この相互作用がうまくはたらいている家庭では、親には〝自分たちは何もしていないのに、子供たちがのびのびと育っている〟というふうに感じられるようです。しかし、実際は「何もしていない」ということはなく、親の日ごろの生活態度が自然と子供たちへ伝わっているのではないでしょうか。昔から「子は親の後ろ姿を見て育つ」といわれるとおりです。子供が健全な成長を遂げていくためには、やはり何よりも、親自身の生き方が問われるといえるでしょう。

（三五〇号）

6日

ハチドリの教え

ワンガリ・マータイさん（一九四〇～二〇一一）は、祖国ケニアの貧困と自然環境の崩壊に心を痛め、植樹を思い立ちました。それはいつしか多くの人の共感を呼び、何もなかった荒れ地に木が生え、美しい川が流れ、小さな生き物たちも戻ってきました。

マータイさんは、このグリーンベルト運動を興したころのことを、エクアドルに伝わるハチドリの話に重ねて語ります。――大きな山火事が起こったとき、ハチドリはその小さなくちばしに水を入れ、なんとか火を消そうとしました。他の動物たちは「こんなに大きな火事なのだから、そんなわずかな水ではどうしようもない。どうせ何もできないんだ」と言いました。でもハチドリは「私は私にできることをしているのです」と答え、水を運び続けました――（参考＝『毎日新聞』平成十七年三月十二日付）

それは〝自分は自分にできることを〟との思いから始まっていたのです。（四三二一号）

7日 熱心さの弊害

つい「自分の尺度」を「社会の基準」と思い込み、他人を変えることにエネルギーを注ごうとしてしまっていることはないでしょうか。しかし、そのエネルギーはかえって問題を複雑にし、人と人との「和」を損なう力になりかねません。

人は物事に一生懸命に取り組んでいるときほど、周囲が自分ほど熱心ではないように見えて、〝自分だけが頑張っている〟という気持ちを持ってしまいがちです。熱心さは大切なことですが、それは時に、自分の心を堅く、狭く、高慢にしてしまうことがあります。私たちが「熱心さの弊害」に陥ったとき、他人のよいところは見えなくなり、周囲から「和」が失われていくのです。

一生懸命になっているときほど、考え方や歩調の異なる人を受け入れる「心のゆとり」を忘れないようにしたいものです。

(四九八号)

8日

「生まれたときのこと」を考えると……

人間の赤ちゃんは、ほかの動物と比べて未熟の状態で生まれてくるといわれています。一般に大型哺乳《ほにゅう》動物は、生まれてからしばらくすると自分の足で立って歩くことができますが、人間は歩き始めるまでに、ほぼ一年かかります。

スイスの生物学者アドルフ・ポルトマンは、人間のこうした特徴を「生理的早産」と呼びます（『人間はどこまで動物か』岩波新書）。ポルトマンは、人間は本来の状態より一年近くも早く生まれてくると考えました。脳が発達したために頭が大きくなりすぎ、母体から出られなくなる前に生まれざるを得なくなったということです。

私たちは、誕生後も守ってくれる人がいなければ、いのちをつなぐことはできなかったのです。また、今日を迎えるまでにどれほど多くの人のお世話になってきたか――そうしたことに思いを馳《は》せてみませんか。（平成二十三年家族のきずなキャンペーン特別号）

9日 使わなければ衰える「心」

私たちは空気や水、そして太陽の光など、いつも身の回りにあって、存在することにも気づきにくいものに対しては、それがどれほど大事なものであっても、あることが当たり前と思い、恩を感じる心はなかなか生まれてこないようです。

使わないと衰えるのは、筋力や体力だけではありません。考える、気づくなどという心のはたらき、つまり「心づかい」も、常にトレーニングをしないと鈍くなっていきます。自分が受けているさまざまな恩について、意識して考えるようにしていくと、やがて気づきにくかった恩や小さな恩にも気づくようになり、感謝の心が湧《わ》いてくるのではないでしょうか。

感謝の心を持つことは、道徳の実行そのものです。このトレーニングを、日々の生活の中で繰り返していきたいものです。

(四一二号)

10日

「家庭の食卓」の意味

家庭の食卓は、家族がそろい、「いただきます」「ごちそうさま」の挨拶やお箸《はし》の使い方など、子供に食事の作法を身につけさせるための躾《しつけ》の場でもあります。そこでは健康を維持していくための食生活の基礎や、その家庭の習慣や味覚という伝統も伝えられることでしょう。あるいは、一つのお皿に盛られた料理を分け合って食べるうちに、譲ることや譲られることを経験し、人を思いやる心を学ぶこともあります。

こうしたことを考えてみると、家庭の食事とは、単に「生命を維持するために栄養をとる」というものではないようです。食事を通して文化が受け継がれ、心が育まれるのです。また、食卓での団欒《だんらん》のひとときは、お互いを理解し合い、思いを伝え合って、家族の絆《きずな》を深めていくことにも役立ちます。

今、皆さんの家庭では、どのように「食卓」を囲んでいますか。

（四六六号）

11月

11日

「自分一人くらい」の心から

生物学者のギャレット・ハーディン（一九一五〜二〇〇三）が雑誌『サイエンス』に発表した論文で有名になった「共有地の悲劇」という例話があります。

ある村で共有する牧草地に、村人が思い思いに牛を放牧していました。その中で、一人ひとりが利益を追求して牛の数を増やしていった結果、ついに共有地の牧草は食べ尽くされてしまったという話です。もしこれが個人の所有する牧草地であれば、際限なく牛を増やせば牧草が尽きることはすぐに分かるので、飼う牛の数を制限したでしょう。しかし共有地となると、牧草が無限にあるかのように錯覚してしまうのです。

これを地球の資源に置き換えて考えると、どうでしょうか。皆が〝自分一人くらい〟と思って浪費を続ければ、資源はやがて枯れ尽きてしまいます。子孫世代のことまで考え、皆で分け合いつつ大切に使う意識を育んでいきましょう。

（五一五号）

12日　「年を重ねる」ということ

長寿大国となった日本。経済や効率だけを優先させる考え方では、人間の本当の価値は理解できないでしょう。社会的な務めを持たず、身体的能力も衰えたお年寄りがその場にいるだけで、周囲の人々の心に力を与えることもあるのです。臨床心理学者の河合隼雄《かわいはやお》氏（一九二八〜二〇〇七）は、次のように述べています。

「われわれはあくせく働き、能率や進歩を追求してきて、本当に幸福になったのであろうか。物質的豊かさと精神の貧しさに病んでいないだろうか。何をしたのか、どれくらい利益を得たのか、そんなことにわれわれがあまりにもこだわりがちとなるとき、ただそこに存在するだけという老人の姿は、価値とは何かについて重要なことを教えてくれるのではなかろうか」（『日本人とアイデンティティ』創元社）

年を重ねることの意味を、見直したいものです。（平成二十二年全国敬老キャンペーン特別号）

13日 人を信じる心

私たちは、さまざまな人と関わりながら生きています。その中で、自分と考え方や意見の合う人とは、お互いに理解し合い、尊重し合おうと努めますが、そうでない人に対しては、理解しようと努力する前に自分のほうから心を閉ざしたり、関係を断ち切ったりしてしまうこともあるでしょう。

お互いに理解し合うまでには、長い時間と粘り強さが必要です。時にはそのために痛みを伴うこともあります。しかし、私たちの心のいちばん深い部分にあるのは、お互いに信頼し合い、共に喜びたいという願望ではないでしょうか。誰もが心の根底にはそうした願望を持っていることを信じて接することが大切です。

自分を取り巻く人間関係や状況を恨んでも、問題解決には至りません。よりよい人生を開くために、まずは自分から、相手に心を開いていきたいものです。（四〇七号）

14日

温かな言葉・明るいリズム・やわらかな言葉

長年幼稚園園長として尽力したKさんは、「園だより」の中で次のように述べます。

「言葉には、人が生きていくために重要な二つの役割があります。一つは『感動を相手に伝える』こと。もう一つは、『用件を相手に伝える』ことです。ところが、最近の親は、第一の『感動』を伝えることが軽くなって、第二の『用件』を伝えるほうを重視する傾向が強くなってきたように思えます。（中略）子供への話しかけで大切なことは、〝温かな言葉・明るいリズム・やわらかな言葉〟です。親は、言葉が相手に感動を与え、愛を伝えるためにあるという大切な本質を心に留めて、子供たちと接していきたいものです。子供の心を満たす言葉がけ、話しかけをしましょう」

誰でも温かな言葉、優しく思いやりのある言葉をかけられるとうれしいものです。とりわけ親の愛情のこもった言葉は、幼い子供の心に大きく響くでしょう。（四二九号）

15日 風習に込められた祈り

子供の健やかな成長は、私たちの切実な願いです。それを子供の成育の区切りごとに儀礼として表したものが、今日もなお生活に密着した文化として継承されています。出産前の帯祝いに始まり、誕生後の三十日目や百日目に行われるお宮参り、そして七五三などは、その代表といえます。子供が成人するまでの間に見られる数々の儀礼には、子供の無事な成長を見守る親の深い心情がうかがえるのではないでしょうか。

日本の社会の底流には、社会全体で子供の成長を祈り、無事に育むという、先人たちによって受け継がれてきた心の伝統があり、それが風習や儀礼となって、今日にも名残《なごり》をとどめているのです（参考＝生方徹夫著『伝統文化の心』モラロジー研究所）。

そうした風習や儀礼を「古めかしいもの」「形式だけで意味がないもの」と決めつけることなく、そこに込められた先人たちの心を見つめ直してみませんか。（三九八号）

16日

二宮金次郎と「積小為大」の実践

田植えの季節に、余った苗が捨てられているのを村のあちこちで見つけた少年・二宮《にのみや》金次郎《きんじろう》（尊徳、一七八七〜一八五六）は、それらを一つ一つ拾い集めると、荒れた空き地を耕して植えました。そうして丹念に育てていくと、秋には一俵ものお米を収穫できたということです。

金次郎は、どんな物や人にも「よさ」や「とりえ」があると考え、これを「徳」と名づけました。取るに足らない小さなものでも、その「徳」を生かす方向へ努力を積み重ねていくと、必ずや大きな実りを得ることができる——。こうした実感から「積《せき》小為大《しょういだい》」の法則をつかんだ金次郎は、人心も田畑も荒廃した村をめぐり、勤労と倹約によって得た財で生活に困っている人々を援助し、これを後世にも受け継いでいくことを説きました。そして、生涯に六百もの農村を復興させたのです。

（五一五号）

11月

17日　家庭の日

「家庭の日」は、「家族みんなで団欒《だんらん》の時間を持つ」「家族みんなで食事をする」「家族みんなで地域の行事に参加する」といったスローガンを掲げてさまざまな活動を行うもので、今では全国的な取り組みとなっています。

これは昭和三十年、鹿児島県北西部の鶴田町（現・さつま町）という小さな町で生まれた運動です。当時、農業が盛んだった鶴田町では、田植えや収穫の時期は学校が休みになり、子供も手伝いに借り出される忙しさでした。その中で、家庭の団欒を大切にしたいという思いと農休日の目的が合わさり、「家庭の日」が産声《うぶごえ》を上げたのです。

家族の絆《きずな》の希薄さが指摘される昨今です。解決の第一歩はまず家族が集い、心を通わせる場を大切にすることでしょう。日常の中で親子がふれあい、語り合う時間をできるだけ持つことは、子供の豊かな人間性を育むためにも欠かせません。

（四七二号）

18日

苦難には意味がある

私たちは苦しみや悲しみに出会うと、〝なぜ自分だけが、こんなに苦しまなければならないのか〟と考えて悩みます。時代や場所、状況が変わっても、人間の苦しみや悲しみの本質はそれほど変わらないのではないでしょうか。

そのとき冷静さを失うと、問題解決への早道を選びたくなり、自分の苦しみの原因を周囲の人や社会のせいにする場合もあるでしょう。自分が悪いせいだと考えて、ひたすら自分を責める場合もあります。いずれにしても、こうした考え方は事態を悪化させ、投げやりになったり、生きる気力さえ失ったりすることにもなりかねません。

「この悲しみや苦難は、自分にとってどのような意味があるのか」を問うことは、周囲や自分を責めることとは異なります。問題に対して正面から立ち向かっていく姿勢をつくることですから、未来へとつながる気力が生まれてくるのです。

（三六九号）

19日

「物」を大切に

「米という字を分解すると、八十八になる。それは、農家の人が八十八回手をかけなければ、米が育たないからだ」――そう言って、弁当箱のふたについたご飯粒を一つずつつまんで食べ、子供はご飯粒を一つでも残すと両親や祖父母から叱《しか》られる。これは、かつての日本では、どこの家庭でも見られた光景ではないでしょうか。

食べ物に限らず、物を大切にするのはごく当たり前のことでした。先人たちは、しっかりした造りの住宅や家具などを大切に使い、補修を繰り返して次の世代へと引き継いできたのです。現代の豊かさの中でも、裁縫道具やひな飾りなどは新しい物を求めるばかりでなく、世代を継いで古い物を大切に使っている家庭もあるでしょう。

飽食の時代、使い捨てが当たり前になった時代だからこそ、そうしたことの意味に今一度目を向けていきたいものです。

（四〇八号）

20日

嘘をつくと記憶に残る

広島大学の越智貢《おちみつぐ》教授は、ある研究授業で、小学生の子供たちに「『嘘《うそ》をついたらゲームを買ってあげる』と誘われたとき、あなたならどうしますか」という質問を投げかけました。すると、ほとんどの子供が「ゲームは欲しいけれど、嘘をつくのは悪いことだ」「嘘をつくと叱《しか》られる」などと答えました。ところが一人だけ、「嘘をつくと記憶に残る」と答えた女の子がいたといいます。

嘘をつくと記憶に残る――この言葉には、子供の心の内に確かな「道徳心」が根づいていることが示されています。

私たちは、してはいけないことをしてしまったとき、するべきことをしなかったときに、たとえ人に知られなくても気がとがめるものです。こうした「道徳心」をしっかりと自覚してこそ、自分を律していけるのではないでしょうか。

（四一七号）

21日　家庭は安心と「生きる力」を得る場

家庭崩壊という現象は、笑顔のなくなった家庭で見られるものでしょう。それは、家庭の安心感が欠落したところから起こるといえるのではないでしょうか。

家庭とは本来、人が安心して休息でき、生きるための力が得られる場所です。そして、明日への活力を養うところでもあります。そこは温かさや優しさで満たされ、自然と笑顔も生まれることでしょう。

家庭は教育の場であり、時に厳しい躾《しつけ》も行われますが、人間は、休むことなく走りっぱなしというわけにはいきません。家庭を「心身共に休息できる場」にすることで、家族の絆《きずな》はますます強くなっていくのではないでしょうか。そうした家庭が担うべき本来の役割を、あらためて見直したいものです。


（平成二十二年家族のきずなキャンペーン特別号）

22日

一心同体でない夫婦だから

夫婦とは、育った環境が違えば考え方も性格も異なる二人です。その二人が結婚したからといって、すぐに一人の人間のようになったり、以心伝心になったりということはないでしょう。「夫婦は一心同体」という言葉に惑わされて、最初からお互いによく理解しているつもりになっていると、思わぬ落とし穴に落ちることがあります。

「一心同体」という言葉を辞書で調べると「異なったものが、一つの心、同じ体のような強固な結合をすること」という意味です。本来は「二心異体」で別々の二人が、お互いの愛情と思いやりによって、一つの心になっていくようにすることが、夫婦としてのあり方ということができるでしょう。

お互いに知らないところがたくさんあり、多くの違いを持つ二人、つまり「一心同体でない夫婦」だからこそ、結婚後の生活が大切なのではないでしょうか。（三九七号）

23日

「勤労感謝の日」とは

日本は古くは「瑞穂《みずほ》の国」とも呼ばれるように、稲作を中心とする生活を送ってきました。みずみずしい稲穂がたわわに実っている風景を、国の理想としたのです。現代の「勤労感謝の日」は、その名残《なごり》といえるでしょう。これは「勤労をたっとび、生産を祝い、国民たがいに感謝しあう」という趣旨で、昭和二十三年に定められた国民の祝日ですが、それ以前は「新嘗祭《にいなめさい》」と呼ばれる祭日でした。

新嘗祭は、現在も行われています。天皇陛下がその年に収穫した新穀を神々に供えて農作物の恵みに感謝し、みずからも食するという儀式です。これは、国民にとっても大切なお祭りでした。お米の一粒一粒が太陽と水と土の恵みであることを知っていた昔の人々は、秋の収穫を喜び、神々に感謝してきたのです。今日は自然の恩恵に対する感謝の気持ちを込めて、心から「いただきます」を言ってみませんか。（四一一号）

24日

人間関係を豊かにする言葉

あるとき、電車の中を走り回って騒ぐ男の子に「ちょっと静かにしようね。ほかのお客様に迷惑がかかるから」と注意をしたOさん（45歳）。すると男の子に付き添っていた若い母親は、自分が恥をかかされたと思ったのか、Oさんをにらむようにして「近寄っちゃだめよ」と言うと、子供の手を引いて自分の席に連れ戻したのです――。

例えばこのとき、母親がひと言「ごめんなさい」「すみません」「ありがとう」と言っていれば、どうなっていたでしょうか。私たちの日常には、そのひと言が足りないばかりに、人との関係や場の雰囲気を気まずくしていることが、数多くあります。

「ありがとう（サンキュー）」「どうぞ（プリーズ）」「すみません（エクスキューズミー）」といった言葉は挨拶の基本であり、お互いの心はこうしたひと言で開かれていきます。ここから、私たちの人間関係はより豊かになっていくのです。

（三六八号）

25日

親は「跳び箱の台」

子供の思春期は親の試練の時ですが、それ以上に苦しみ悩むのは子供自身です。たとえ外見が変わったとしても、その子の持っている優しさや思いやりがなくなったわけではありません。子供は子供なりに、よりよく変わろうとして模索しているのではないでしょうか。自分はどういう人間なのか、自分は何をしたいのか、人間はなんのために生きているのかという、根源的な問いかけをしているのです。まさに「自我」の確立に向けて、「子供」という殻《から》を破ろうとしている、ともいえるでしょう。

この時期、親の役割は跳び箱の台のようなものです。思春期という助走期にエネルギーを蓄えた子供が、殻を破って大きくジャンプできるように、どっしりとした存在でありたいものです。夫婦がよく話し合い、支え合いながら、子供を信じ、温かく長い目で見守る気持ちを培《つちか》っていきましょう。

(三五九号)

26日

「おかげさまで」は、なんのおかげ？

私たち一人ひとりが今日存在するということは、動物や植物の生命を摂取するという行為に支えられています。さらにそれらの動植物も、自然界に存在する空気や水によって養われたものです。その意味で、私たちのいのちは、自然の恵みに生かされているといえるでしょう。もちろん、社会とか国とか、周りの人々の力添えもあります。最も身近なものは、私たちに直接いのちを授けてくれた父母の存在です。また、それよりずっと昔からいのちをつないできてくれた、先祖の存在もあります。

私たちの先人は、こうした自分の周りのいろいろな恩恵をまとめて「おかげさまでありがたい」と言ってきたのです。

私たちが今、さまざまな場面で「おかげさまで」という言葉を口にするのも、そうした「目に見えない恩恵に対する感謝の気持ち」と考えてよいでしょう。

（三八九号）

11月

27日

苦手な人ほど「恩人」

高校教師のMさんが若いころのこと。クラスにS君という、いつも問題を起こす生徒がいました。Mさんはなんとかよい方向へ導きたいと思って心を配るのですが、反発を受け、悩みの種になっていました。あるとき先輩教師に相談すると、こんな答えが返ってきたといいます。「S君がいるからこそ〝立派な青年に育ってほしい〟という、君の生徒に対する愛情が引き出されている。さらに言えば、その愛情が届かないということは、まだまだ君の愛情が足りないことや教師として未熟な点があることを、S君が身をもって教えてくれていると考えられないか。S君は君の大恩人だよ。だから決して逃げてはいけない。真正面から向き合っていくんだぞ」と。

人に苦手意識を持ってしまったとき、〝これも自分が成長するうえでの大切な出会いだ〟と思い直すと、そこから新しい関係が開けてくるかもしれません。

(四五九号)

28日

心の眼を周囲に向ける

幕末の福井藩士、橋本左内《はしもとさない》（一八三四〜一八五九）は、十五、六歳のころに著した『啓発録』の中で、立派な武士となっていくためには「稚心《ちしん》を去る」ということが大切であると述べています。自分のことばかり考える「子供の心」を去り、他に喜びを与える心を持つこと。それは大人の世界への第一歩ではないでしょうか。

家庭や学校、職場の中で、周りの人に喜びを与えることは、私たちの心の持ち方次第で、いつでも、どこでも、誰にでもできます。幼い子であっても、感謝の言葉をかけること、お手伝いをすることなどで、他に喜びを与えることができるでしょう。

ほんの些細《ささい》なことでも「自分に何かできることはないか」と考えて、心の眼を周囲に向けてみてはいかがでしょうか。他に喜びを与える生き方は、きっと自分自身の人生を豊かにしてくれることでしょう。

（四七五号）

29日

「やわらかい心」を育てる

日本人は「察し」という文化的な独自性を持っているのだと説いたのは、評論家の会田雄次《あいだゆうじ》氏（一九一六〜一九九七）です（参考＝『日本人の意識構造』講談社）。

「察し」の「察」には、「よくみる、しらべる、おしはかる」のほかに、「思いやる、同情する」という意味があります。相手の立場を察する心は、相手の立場に立ったり、考えたり、視点を変えたりする「思いやり」の基本的な力になるのです。

いろいろな立場で物事を考えられないのは、心が老化し、柔軟に考える力が弱まって、心が固くなっているからではないでしょうか。固い心からは、相手や周囲を思いやるゆとりは生まれません。一方、立場を変えてみると視野は広がります。また、公平な第三者の立場に立つことは自己の高まり、あるいは心の深まりにもつながっていくことでしょう。固い心をほぐし、「やわらかい心」を育てたいものです。（三七八号）

30日

心の貯金箱

ある小学校でのお話です。「心の貯金箱」と名づけた空き瓶を教室に置いて、クラスの子供たちが「うれしかったこと」「楽しかったこと」「友だちのよいところ」などを書き込んだ紙を入れていくことになりました。

やがて、瓶三本が小さな紙でいっぱいになりました。そこに記された言葉は「○○ちゃんが掃除を手伝ってくれた。ありがとう」「○○君が傘を貸してくれて、とてもうれしかった」など……。そしてこの実践を始めてから、子供たちの間で感謝の言葉や人を褒《ほ》める言葉が多くなってきたそうです。

思いやりを実践するには、まず日ごろの生活の中で人の美点を見いだすなど、人を思う温かい心を育んでいくことが大切ではないでしょうか。いつも気にかけ、心に留めていることは、とっさのときにも言葉や行動として表れてくるでしょう。(二二五号)

12月

1日

「育てる心」が見えてくる

私たちの周りには、親や学校の先生、部活動の先輩や職場の上司など、私たちを育ててくれる人がいます。そういう人から叱《しか》られると、気持ちが落ち込んだり、感情的になって相手を非難する気持ちになったりしがちです。そんなときは、自分の心の持ち方を振り返ってみる時間が大切です。

気持ちが落ち込んだり、相手を恨んだりしているときは、〝相手はこういうつもりに違いない〟〝自分は相手から疎《うと》まれているのではないか〟などと自分勝手に判断してしまい、相手がどんな思いで叱ったのかに気づく心の余裕を失っていることが多いものです。しかし角度を変えて眺め直すと、叱ってくれた人の、自分を育てようとする心が少しずつ見えるようになってきます。時にそれは、感謝しても感謝しきれないほどの大きな恩恵であることにも気づくでしょう。

（四一四号）

2日 真の「自分らしさ」とは

自分を大事にするのは、大切なことです。しかし周囲を顧《かえり》みず、自分の好きなことだけ、やりたいことだけやり続ければ、自分も周囲の人々も苦しむことになります。興味のあることには一生懸命でも、やりたくないことには非協力的であったり、自分の意見を押し通して他人に不快な思いをさせ、結果として自分も嫌な気分になったりということは、日々の生活の中でも起こり得ることでしょう。

「自分」へのこだわりによる苦しみから抜け出すためには、まず、心の視点を「自分を支えてくれている周囲の人々」に切り替えてみましょう。〝自分は周りの人に喜びを与えているだろうか〟と考えてみるのです。「自分」以外の周囲に心を寄せ、他の役に立つことで、自分自身も喜びを得ることができるでしょう。そして、その中でこそ「自分らしさ」を十分に発揮できるようになるのではないでしょうか。

（五一一号）

12月

3日 やわらかな親心

「銀《しろがね》も金《くがね》も玉も何せむに　まされる宝子に及《し》かめやも」（『万葉集』・山上憶良《やまのうえのおくら》）

この和歌にあるように、親が子供を思う気持ちの深さは、いつの時代も変わらず存在してきたものです。

明治期から五百以上の会社の創業に関わった渋沢栄一《しぶさわえいいち》（一八四〇〜一九三一）の母・えいは、栄一が子供のころ、冷たい風が吹くと、風邪を引かせないようにと、羽織《はおり》を抱えて栄一の遊び場所を探し回りました。「栄一はいませんか」と尋ねながら羽織を抱えて田んぼ道を走る姿は、村の名物となり、「おえいの羽織」と呼ばれたそうです。

親子は日々、些細《ささい》な問題で言い争うこともあるかもしれません。しかし、その中でも親は常に子供の健康や将来を心配し、やわらかな親心で子供を見守ってきたのではないでしょうか。その親心が、子供に大きな安心感をもたらすのでしょう。（四八三号）

4日

「当たり前」を見つめ直す

人は誰も、自分一人の力で生きているのではありません。衣・食・住のすべてにおいて、また、そもそも自分が今ここに存在するということ自体、社会の人々や親祖先、そして大自然を含めた多くのものの「おかげ」であるのです。私たちは、まさに「生かされて生きている」といえます。その数限りない恩恵を自覚するとき、「ありがたい」という思いが湧《わ》き起こり、心豊かに暮らすことができるのではないでしょうか。

例えば食事をするときも、目の前の食物の背後にあるさまざまな「おかげ」の存在を思うだけで、今までとはまったく違った気持ちで味わえることでしょう。自分が何をするにも、背後に必ず「おかげ」があることを思い、〝家族だから当たり前〟〝お金を払ってサービスを受けているのだから当たり前〟などと考えることなく、日ごろ「当たり前」になっている物事の一つ一つを見つめ直していきたいものです。

（五二二号）

12月

5日　報酬は「心に生まれる喜び」

ボランティア活動をするときなど、「誰かのためにやってあげている」という意識を強く持つと、相手からの見返りを求めたり、相手が感謝してくれることを当然と思ったりしてしまいがちです。相手が感謝の気持ちを示さなければ、不満の気持ちさえ起こります。これでは、せっかくの善意がマイナスにはたらいていることになります。

見返りを求めず、誰かのために何かをしたときには、自分の心の中に温かい気持ちが湧《わ》き起こることでしょう。たとえ相手からはなんの見返りもなかったとしても、自分の心の中に生まれる喜びが、何よりの報酬になるのです。

英語で「サンキュー（Thank you）」と言われたとき、「イッツ・マイ・プレジャー（It's my pleasure）と答える場合があります。「あなたのお役に立ててうれしい」といった意味でしょうが、これはたいへんすばらしい言葉ではないでしょうか。

（三五七号）

6日　心の均衡を取り戻す

ピンと張ったピアノの弦には、その緊張を解こうとする作用から、徐々にゆるみが生じていきます。また、周囲の温度や湿度の変化なども影響するため、どれほど万全を期しても、やがて音が変わってくるのです。

私たち人間の心もこれと似ています。熱心さや克己心《こっきしん》は、私たちが目の前の困難を乗り越えて成長していくためには欠かせません。一方で、緊張と興奮にさらされ続けた心は、ふだんのゆとりや周囲との調和を失うことがあります。

心のゆとりを失ったとき、自分ではその異状になかなか気づかないものです。そればかりか、周囲に不協和音が生じると、他人こそが原因と考えがちです。すると、人間関係の不協和音はますます広がります。ピアノの調律と同じように、私たちも、日々乱れを生じていく心の均衡を、意識して取り戻す必要があります。

（四九八号）

12月

7日

人生をみずみずしく生きる

江戸時代の儒学者・佐藤一斎《さとういっさい》（一七七二～一八五九）の言葉に、「老成《ろうせい》の時は当《まさ》に少年の志気《しき》を存《そん》すべし」とあります。これは、年を取って熟練してからは、若者の盛んな意気を保つようにすべきであるという意味です。

人は生きている限り、老いから逃れることはできません。しかし、たとえ高齢になっても、いつも青年のようなみずみずしい精神を失うことなく、長年培《つちか》ってきた知恵と経験を生かしつつ若々しく創造的に生きる姿は、多くの人々に希望と勇気を与えることでしょう。

こうした生き方を若い世代に示すことは、高齢者の大切な役割の一つといえます。それは次の世代にとって「人生の先輩からの貴重な教え」となるのです。

（平成十八年全国敬老キャンペーン特別号）

8日

「もったいない」の復権を

物資が不足していた時代とは異なり、使い捨ての感覚が身についている現代では、「もったいない」の言葉だけを繰り返しても、その感覚を持つことは難しいものです。新たに品物を購入する場合には、本当に必要なのか、長く使えるかなどをよく吟味して、無駄なものを増やさないことが大切です。また、物を丁寧に扱い、こまめに手入れを行って、製品の寿命を延ばす努力も必要でしょう。そして、使わなくなった品物を人に譲って物の「いのち」を引き継いでいくことも、家具や衣類などであればリフォームして新しい「いのち」を吹き込むこともできます。どうしても捨てる場合には、物の「いのち」に対する感謝の気持ちを持ちたいものです。

「もったいない」の心は、このように日常の中で意識していくことで、豊かな現代においても蘇《よみがえ》っていくことでしょう。

（四〇八号）

9日　誰もが持つ「宝」

『法華経』に「衣珠《えしゅ》の喩《たとえ》」という物語があります。ある男が親友を訪ねた際、歓待を受け、酔いしれて眠ってしまいました。そのとき親友は仕事に出かけなければなりませんでしたが、男を起こすに忍びず、高価な宝玉を着物の端に縫い込んでおきました。

その後、目覚めた男は他国へ赴《おもむ》きますが、落ちぶれて、衣食にも事欠くようになりました。そしてある日、男はこの親友と再会します。親友は零落《れいらく》した男の姿を見て、悲しんで言いました。「僕は君が安楽に暮らせるようにと、君の服の端に宝玉を縫い込んでおいたのに、どうしたのかね」と（参考＝『法華経入門』祥伝社）。

人は、自分自身の心の中に備わった「宝」の存在に気づいていないことが多いのではないでしょうか。私たちは、一人ひとりが貴重な存在です。この点を自覚し、内に秘めた「宝」がさらに価値あるものになるよう、磨いていきたいものです。（二八五号）

10日 借りたものは返せば済むが……

お歳暮の季節になりました。お歳暮はもともと、年の変わり目に先祖の霊を迎えて祀《まつ》る「御霊祭《みたままつ》り」のお供え物であったといわれます。いのちのつながりと、それを生み出した源への感謝の気持ちを表したものといえるでしょう。

この「つながりに感謝する」という気持ちは、昔の人がよく言った「借りた物は返せば済むが、受けた恩は決して消えない。人から受けた好意には、いつまでも感謝する心を忘れないように」という言葉とも、何か共通するものを感じます。一方で、先人たちは「人にしてあげたことは、すぐに忘れなさい」とも言いました。恩を売るようではいけない、ということでしょう。

私たちはさまざまな恩を感じ、感謝する気持ちを忘れないようにしたいものです。まずは今年一年、お世話になった人のことを、思い起こしてみませんか。

（四一二号）

11日

相手の立場に立った「お世話」

Kさん（64歳）が義父の介護を始めた当初のことです。寝たきりの義父は、オムツ交換をしようとしても全身を硬直させるばかりで、食事を口に運んでも口を動かそうとしません。その非協力的な態度を、Kさんは心の中で打つこともありました。しかしあるとき、「相手の立場になる」という言葉を思い起こしたKさんは、こう反省したといいます。〃一所懸命にお世話をしてきたけれど、お父さんの立場になって考えたことは一度もなかった。お父さんは私にオムツを替えてもらうことが嫌なのではなくて、自分の体を思うように動かせないことがつらいのではないか。それなのに、私はお父さんの気持ちに心を向けず、時間とにらめっこをしてオムツを替えていた――〃

相手の気持ちになるのは難しいことです。しかし他者の心の痛みに共感しようとする中で、自分自身の愛情や優しさも引き出されるのではないでしょうか。

（四四〇号）

12日

通い合う慈しみの心

新渡戸稲造《にとべいなぞう》（一八六二〜一九三三）がドイツに留学していたときのお話です。

ある日、公園へ出かけた稲造は、四十人ほどの孤児を連れたカトリックの尼僧に出会いました。孤児たちは、母親と遊ぶ同年輩の子供をうらやましそうに見ています。

折しもその日は稲造の母親の命日でした。稲造は母の霊前にお供えをする代わりにと考え、牛乳売りに「あの子たちに牛乳を一杯ずつ飲ませてください。代金は私が支払いますが、そのことは言わず、申し出を受けてくれるかどうかを尋ねてください」と頼みました。尼僧はこの申し出を快く受け、子供たちも大喜びです。そして皆が牛乳を飲み終わると、尼僧は「どなたがご馳走《ちそう》してくださったか分からないので、賛美歌を歌ってお礼に代えましょう」と。子供たちのかわいらしい歌声を聞いた稲造は、母の命日にふさわしいことができたと感じて、心が満たされたのでした。


（三一六号）

13日 虫の目、鳥の目、魚の目

「虫の目、鳥の目、魚の目」という言葉があります。

「虫の目」とは、虫のように近いところから物事を注意深く見る視点です。ミクロの視点を持って、現場でしか見えないことを見る目といえるでしょう。

「鳥の目」とは、空を飛ぶ鳥のように、物事を高いところから俯瞰《ふかん》する目です。虫のように近い場所だけ見ていては分からないことも、高いところから広く見わたすことで、複合的に理解することができます。物事を総合的に見る目といえるでしょう。

「魚の目」とは、魚が水の流れに従って泳ぐように、時流を読む目です。

視点を変えれば、見えてくる景色も変わります。悩みを持ったときも、これをさまざまな角度から見つめてみることで、心が少し軽やかになり、今までとは違った気持ちでその問題と向き合えるようになるのではないでしょうか。


（五〇五号）

14日

家族を通して知る「かけがえのない自分」

多くの子供たちは、ふだん、いのちや死というものについて、あまり深く考える機会はないのかもしれません。

しかし、家族との絆《きずな》を通して、自分のいのちが遠い先祖との「つながり」の中にあり、そのうちの一人でも欠ければ自分は存在できないのだと知れば、自分はかけがえのない存在だということに気づくでしょう。また、親祖先から望まれて今ここに自分があると実感できれば、自分のいのちは自分だけのものではないということにも気づけるはずです。

子供たちに「いのちの大切さ」を伝えるため、周囲の大人たちは、さまざまな機会に先人たちの思いを言葉と行動で示していきたいものです。そうした大人の姿が子供の心に残るとき、いのちを大切にする深い思いが生まれることでしょう。

（四八五号）

12月

15日 電話対応の回数を数えてみると……

仕事とは、趣味のように楽しいことばかりではないでしょう。単調な作業が続くと、苦痛を感じることもあります。そんなときは少し立ち止まり、その仕事の意味や目的、自分がその仕事をしたことで喜ぶ人について、思いを馳《は》せてみましょう。

職場での電話対応を例に考えます。仮に、一日に受ける電話が平均十五件だったとしましょう。これに一か月の勤務日数と、一年間で十二か月分、そして自分の勤続年数を掛け算すると、どんな数字になるでしょうか。その回数の中には、相手の喜びに触れる機会や、自分がなんらかの成果を実感できた出来事も、きっとあったはずです。そのときの自分自身の気持ちを思い起こすだけでも、自分の仕事に対する印象は変わってくるのではないでしょうか。まずは「目の前の仕事に一生懸命に取り組む」という姿勢を、忘れないようにしたいものです。

(四九四号)

16日

自然の営みに学ぶ「公平な思いやりの心」

冬の間に草木を調べても、どこに芽や花があるかは分かりませんが、春になれば確実に芽が出て花が咲きます。水は高いところから低いところへ流れ、大地を潤していきます。また、昼と夜、春夏秋冬などの一定の変化を繰り返しながら、秩序だった運行を続ける大自然の営みの中には、「すべてのものを恵み潤し育てるはたらき」や「すべてのものを調和していくはたらき」を見ることができます。

こうした自然の中で生かされている私たちは、その恵みに感謝し、すべてのものを育てるという自然のはたらきを助け、この地球上で調和の取れた社会をつくっていく責任があるのではないでしょうか。家庭や職場、地域社会などの身近な場でも、自分だけを大切にするのではなく、公平な思いやりの心をはたらかせて、他の人々に喜びを与え、お互いを生かし合うという心づかいで生活していきましょう。

（二五〇号）

17日 「見守る」という子育ての基本

「子育て」とは、単に身体的な成長だけを指すのではありません。それは、子供の健全な心と体を育てることです。とりわけ「心」を育てることは、親の大切な役割であり、大きな責任の一つだといえます。

ところが忙しい毎日を送っていると、親は時にイライラして、子供の心を疎《おろそ》かにして叱《しか》りつけたりすることもあります。そうしたときこそ心にゆとりを持って〝この子はどんな気持ちでこうしているのだろうか〟と、見守ることを心がけたいものです。

子供を見守るためには、親が子供の心としっかり向き合い、その心の声に耳を傾けていくことが何よりも欠かせません。これは幼児期の子育てだけに重要なことではなく、子供がいくつになっても親が忘れてはならない「子育ての基本」といえるでしょう。

（四二九号）

18日

感謝が幸福を連れてくる

ある心理学の研究によると、よく感謝をする人（感謝の気持ちが強い人）は、そうでない人に比べて「恋人ができた」「給料が上がった」等のよい出来事が多く起こっているというわけではなかったといいます。よく感謝をする人は、「今日は雨が降ったので、植物がみずみずしい」「出張したおかげで、新幹線から富士山を見ることができた」等々、私たちがふだん経験する出来事を肯定的にとらえる傾向があるということです。

人によって、物事の受けとめ方は異なります。恵まれた環境にあっても、不平不満の気持ちを抱《いだ》く人はいます。一方で、たとえ逆境にあっても「自己を磨き高めるよい機会である」という感謝の心で受けとめる人も、少なくありません。

「すべては心の持ち方一つ」といわれます。感謝の心は、私たちの人生を明るく切り開いていく、大きな力を持っているのではないでしょうか。

（四八二号）

19日

食卓で伝わる「心」

皆さんの心に残る「おふくろの味」はなんでしょうか――。それは必ずしも「特別なごちそう」ではないかもしれません。家族を思って一日一日を丁寧に生きる親の後ろ姿そのものが、懐かしい食卓の思い出を形づくっているのではないでしょうか。

食卓で家族が共に過ごし、心を通わせ合う時間は貴重なものです。日常の一コマ、ほんの小さな出来事でも、子供たちが〝家族が自分のことを思ってくれている〟と実感できたなら、それは大切な思い出として心に残っていきます。また、子供のころに味わった喜びは、自分が大人になってから構える家庭でも、やはり〝子供に味わわせたい〟と思うものです。そうした思いの連鎖の中に、祖先以来の家庭の文化が息づいて、親から子へ、子から孫へと受け継がれていくのでしょう。

家族がそろって食卓を囲む意味を、今、あらためて考えてみませんか。

（四六六号）

20日

履物をそろえるとき、何を考える？

教育哲学者・森信三氏（一八九六～一九九二）に師事した寺田一清《てらだいっせい》さんは、あるとき師から「あなたは脱いだ履物《はきもの》のそろえ方も知らんのか」という注意を受けたといいます。寺田さん自身はきちんとそろえているつもりだったそうですが、師の真意は「後から来る人のために、位置に気をつけて並べているかどうか」にあったということです（参考＝『人は終生の師をもつべし』モラロジー研究所）。

「思いやりの心」とは、「直接ふれあう人に向けて発揮すること」だけに意味があるのではありません。日々、一つの思いにも一つの行いにも「思いやりの心」をはたらかせて生活すること――そこには、周囲の人々との間に円満な人間関係を築くとともに、自分自身の心を成長させて、人生を明るい方向へと導いていく、無限の力がひそんでいます。

（五〇〇号）

21日

親に心を向ける

私たちは母親のおなかの中にいるときから、親と深く関わりを持ちます。生まれてから今日に至るまで、最も大きな影響を受けるのは親という存在でしょう。しかし「親の心子知らず」というように、子供にとって、親はあまりにも近い存在であるため、かえってその深い愛情に気づかないこともあります。

それでも困難に遭遇した際、両親の温かい笑顔が思い出され、困難を乗りきる勇気を得たという人は少なくありません。育ててくれた親の愛情に気づき、親の心につながろうとする中で、私たちの生きる力は強く育まれていくのではないでしょうか。

たとえ親と離れて暮らしていても、また、親がすでに亡くなっていたとしても、親に心を向け、自分がどのように生きることが親に安心と喜びを与えるのかを考えることが、私たちの精神を安定させ、人生をより豊かなものにしていきます。

（四五四号）

22日 日本人の「祈り」

ラフカディオ・ハーン（小泉八雲《こいずみやくも》、一八五〇～一九〇四）は、明治のころの日本に関して「朝になると、パチパチと音がする。太陽に向かって人々が拍手《かしわで》を打ち、恭《うやうや》しく頭を下げて拝んでいるのである。（中略）たぶん一万、いや二万年前から、皆このようにして『お天道様《てんとう》』を礼拝したのであろう」と記しました（『神国日本』東洋文庫／意訳）。

どんなに文明が発達しても、人間は自分の手で太陽、大地、水、空気などをつくり出すことはできません。その意味で、私たちは偉大な大自然の恵みの中で生かされているといえます。古来、日本人はそうした恵みに対して、感謝の気持ちを込めて敬虔《けいけん》な祈りをささげてきたのです。

「祈り」とは、生かされている喜びを実感し、大自然をはじめ、祖先や先人、恩人たちのおかげを知ったときに生まれるものといえるのではないでしょうか。（四九〇号）

23日

優しさとは、常に相手に心を向けること

私たちの心づかいは、表情や態度、具体的な言葉や行動など、さまざまな形で表れますから、ひと口に「優しさ」といっても、そこにはいくつもの表現があります。例えば、明るい表情で接する、励ましの言葉をかける、相手の話に耳を傾けるなど。こうした直接的な言動に、「相手の心に寄り添いながら、粘り強く見守り、幸せを祈る」といった優しさも加味されたなら、その優しさは、より深く、大きなものになっていきます。

「優」という字は、人偏に「憂」というつくりでできています。「憂」とは、相手のことが気にかかる、心配だ、なんとかならないかと、相手のことに心を痛めることです。そうした心づかいや言動の積み重ねが、一つの大きな「優しさ」を形づくり、人を温かく包み込んでいくのではないでしょうか。

（五一〇号）

24日 物には「いのち」がある

宮大工の西岡常一《にしおかつねかず》氏（一九〇八〜一九九五）は、木には二つの「いのち」があると言っています。一つは、木のいのちとしての樹齢。もう一つは、木が用材として生かされてからの耐用年数のことだそうです。西岡氏は言います。

「木は大自然が生み育てた命ですな。木は物やありません。生きものです。人間もまた生きものですな。木も人も自然の分身ですがな。この物いわぬ木とよう話し合って、命ある建物に変えてやるのが大工の仕事ですわ」（『木のいのち木のこころ（天）』草思社）

この言葉からは、自然に対する謙虚さ、さらに「いのち」を活《い》かしていく自分の仕事に対する責任感と誇りを感じます。

日常生活の中にある「物」は、すべて自然から与えられたものです。私たちには、自然の恵みに感謝して、物の「いのち」を大切に使う責任があるのです。（四〇八号）

25日

「理解する」とは相手の下に立つこと

国立教育研究所長などを務めた平塚益徳《ひらつかますのり》氏（一九〇七〜一九八二）は、「アンダースタンド（理解する）という言葉の語源は『下に立つ』ということ。相手を尊敬し、相手から学び取ろうとする謙虚な精神があって、本当の理解ができる」と述べています。

一人ひとり違った「心」を持つ私たちにとって、本当の意味で相手を理解するのは難しいことです。だからこそ、自分から相手に歩み寄り、相手の心に寄り添おうとする努力が必要になるのです。それは親が子供に対するとき、上級生が下級生に接するとき、または親しい友人との間であっても「上」や「横」に立つことではありません。「相手よりも下に立つ」というほどの謙虚な心づかいで相手を思いやったときに、はじめて相手の心の一端が見えてくるのかもしれません。かけがえのない人間関係は、そこから築かれていくのではないでしょうか。

（四九六号）

26日 時代を超える価値

困っている人を見かけると、自然に助けたいという気持ちが湧《わ》き起こるものでしょう。それは私たちが皆、心の中に「慈愛の心」を宿しているからです。

「人の役に立ちたい」という私たちの素直な気持ちも、そうした心の表れです。自分さえよければ、自分たちさえ楽しければよいという自分中心の心を見直して、日々の暮らしの中で、身近なところから優しさを発揮していくことは、真に自分を生かすことにつながるだけでなく、次の世代にも生き方の模範を示すことができるのではないでしょうか。

私たちは、自分の中に宿る「慈愛の心」をあらためて見つめ、その価値に気づいて、その心を大いに発揮していきたいものです。それは、よりよい自分づくり、そして思いやりに満ちた温かい社会づくりにもつながっていくことでしょう。

（四二〇号）

27日

人生の歩みに思いを馳せる

お年寄りは、私たちの人生の先輩です。最近は平均寿命が延び、元気で若々しく、活動的な高齢者が増えました。若い世代以上に生き生きとボランティア活動などに取り組む方も、大勢いらっしゃいます。

しかしその方々も、長い人生の途上では順調なときもあれば、耐え難い苦しみを味わったこともあったでしょう。そうした中で、家庭の幸せやわが子の健やかな成長をひたむきに願い、喜びと苦しみを分かち合って、その人生を築いてこられたのです。

私たちは、そうした人生の歩みに思いを馳《は》せ、お年寄りを敬う心を培《つちか》っていきたいものです。同時に若い世代は、老いても知力、体力、創造力を発揮して生きるお年寄りの姿から、その人生の知恵と経験に学んでいくことを忘れてはならないでしょう。

（平成二十年全国敬老キャンペーン特別号）

28日

生き方を変えるチャンス

心づかいは目には見えませんが、隠そうとしても隠しきれるものではありません。表情や言葉、態度、行動などに表れ、いつとはなしに周囲にも伝わっていきます。

私たちの心は、日々の生活の中で、人を思いやり、優しく慰めるといった「よいはたらき」もしますが、人を責めたり、傷つけたりという「悪いはたらき」もします。悪いほうの心づかいを積み重ねていけば、人生のある時期になって、人間関係を中心に何かしらの問題が表れてくるかもしれません。今まで問題なく過ごしていた人が、「どうしてこんなことになってしまったのだろう」「いつ道を間違えたのだろう」といった言葉をもらすこともあるものです。

しかし問題が表れたときこそ、自分自身の生き方——日々の小さな行いと心づかいを見直し、これを変えていくチャンスなのです。

（四一八号）

12月

29日

ありのままの姿を受け入れる

親は、子供の持っている性格や気質の欠点に目がいくものです。時には、子供の欠点が自分の欠点そのものであることに気づいて、呆然《ぼうぜん》とすることがあります。自分の子を前にして、いつも自分自身と対面しているような思いを味わうのが、親のつらさともいえます。そのとき親が〝この子の、この欠点がなければよかったのに〟と思ったなら、それはある意味で、子供の全部を受け入れていないことになるでしょう。

しかし、どの子も皆、〝そのままの自分を見てほしい、愛してほしい〟と思っているはずです。子供の長所も短所もすべてをまるごと受けとめ、優しく包み込む。そして親子の気持ちが響き合うようにしていくことが大切ではないでしょうか。そのためには、まず親自身が自分のありのままの姿を認め、自分自身の長所も短所も、そのまま受け入れる必要があるのです。

（三〇二号）

30日

心の中の「大切な人」

人の視線がない場所で、知らず知らずのうちに姿勢が悪くなっていることはありませんか。私たちの生き方や心の状態にも、背筋がピンと伸びているときと、そうでないときがあるようです。それは〝人のいない場所でだけ〟と思っていても、いつしかふだんの行動や表情、心づかいにも表れてくるものかもしれません。

誘惑に負けそうなときは、自分が親祖先や周囲の人々、そして社会など、多くの恩恵の中で生かされているという事実に思いを馳《は》せてみましょう。心の内に家族や恩人などの「大切に思う人」を持ったとき、自分自身の心の姿勢は自然と正されてくるのではないでしょうか。それは、よりよい人生を歩むための原動力になるはずです。

間もなくお正月を迎えます。新しい一年は、心の中に「自分の大切な人」を抱《いだ》いて過ごしてみませんか。

（四八四号）

12月

31日 大晦日の夕日に感謝する

Tさん（71歳）は以前、南蔵院《なんぞういん》というお寺を訪ねたとき、住職の林覚乗《はやしかくじょう》師の「夕日」という書に出会いました。「正月に初日の出を拝む人は多いが、大晦日《おおみそか》の夕日を拝む人は少ない。毎年大晦日の夕日を眺め、お天道様、今年一年ありがとうございました、と感謝できる人こそが豊かな人生を送ることができるのではないか」というものです。

その年の大晦日からこれを実践するようになったTさんは、こう語ります。「初日の祈りは、ややもすると『今年一年がよい年であるように』という要求心が起こりやすいものですが、一年最後の夕日を拝むのは、一年の出来事に対して、ただ『ありがとうございました』の一念だけなのです」と。

一年が過ぎようとするこの時期、「恩」について考えてみることは、新しい年を迎えるうえでも意義のあることではないでしょうか。

（四一二号）

【ら行】

【わ行】

【ま行】

【や行】

【は行】

【な行】

【た行】

【さ行】

【か行】

主要語句索引

※「人生の指針」や「人間関係のヒント」として，さらには道徳教育や生涯学習に本書をお役立ていただくため，各語句を中心的に扱った本文のページ数を挙げます。

【あ行】